Zu diesem Buch

Wie schon in ihrem Welterfolg «Die Scham ist vorbei» erzählt Anja Meulenbelt hier temperamentvoll und gescheit ein Kapitel ihrer ganz persönlichen und doch nicht nur privaten Geschichte: eine Vierzigjährige – Symbolfigur der Frauenbewegung – trennt sich von ihrer langjährigen Lebensgefährtin; sie begegnet dem zehn Jahre älteren Daniel, der sich ebenfalls aus einer intensiven Beziehung erst lösen muß. Aber müssen die alten Bindungen überhaupt gelöst werden, damit neue entstehen können? Die Erzählerin und ihr Geliebter – beide schmerzerfahren, beide willens, anderen möglichst nicht weh zu tun, und doch ihrer Zusammengehörigkeit gewiß – bemühen sich um einen sanften Weg zueinander; sie teilen die verfügbaren Stunden, die Nächte, Wochenenden und Urlaubswochen zwischen ihren alten und den neuen Partnern auf. Doch was zunächst als ein weiser, aufgeklärter Versuch erscheint, will nicht gelingen. Vielmehr zeichnet sich nach einiger Zeit eine Form der Bindung ab, die verblüffend an die längst überwunden geglaubte, einst gehaßte Kleinfamilie erinnert.

«‹Die Gewöhnung ans alltägliche Glück› ist ein leichtes und dennoch kein ausgesprochen heiteres Buch, nicht nur erzählend, nicht nur überlegend, es ist keinesfalls euphorisch und auch nicht resigniert. Es ist so beschrieben, wie es ist.» («taz»)

Anja Meulenbelt, geboren 1945 in Utrecht, studierte Sozialwissenschaften in Amsterdam, wo sie heute als Dozentin und freie Journalistin tätig ist. Sie gehört zu den Begründerinnen und führenden Kräften der holländischen Frauenbewegung. Im Rowohlt Verlag erschienen ihr Buch «Über Sexismus, Rassismus und Klassismus»: «Scheidelinien» sowie ihre Romane «Ich wollte nur dein Bestes» und «Bewunderung». Ihre «Standortbestimmung einer kritischen Feministin», «Zwischen zwei Stühlen», liegt als rororo-Taschenbuch Nr. 8480 vor.

ANJA MEULENBELT

Die Gewöhnung ans alltägliche Glück

ROMAN

Aus dem Niederländischen
von Silke Lange

ROWOHLT

Die Originalausgabe erschien 1984 unter dem Titel
«Alba» im Verlag Van Gennep, Amsterdam
Umschlaggestaltung Lidwien Steenbrink

Veröffentlicht im Rowohlt Taschenbuch Verlag GmbH,
Reinbek bei Hamburg, Juni 1989
Copyright © 1985 by Rowohlt Verlag GmbH,
Reinbek bei Hamburg
«Alba» Copyright © 1984 by Anja Meulenbelt /
Uitgeverij Van Gennep, Amsterdam / Holland
Gesamtherstellung Clausen & Bosse, Leck
Printed in Germany
780-ISBN 3 499 12534 X

Obwohl die Erfahrungen der Hauptperson in diesem Buch der Autorin nicht völlig unbekannt sind, ist dies keine Autobiographie. Die Autorin hat sich die Freiheit genommen, Ereignisse auszugestalten und bei den beschriebenen Personen Charakterzüge hinzuzuerfinden oder wegzulassen.

Ähnlichkeiten mit lebenden Personen sind daher weder zufällig noch beabsichtigt. A. M.

Obwohl die Erfahrungen der Hauptperson in diesem Buch der Autorin nicht völlig unbekannt sind, ist dies keine Autobiographie. Die Autorin hat sich die Freiheit genommen, Ereignisse auszugestalten und bei den beschriebenen Personen Charakterzüge hinzuzuerfinden oder wegzulassen.
Ähnlichkeiten mit lebenden Personen sind daher weder zufällig noch beabsichtigt. A. M.

1

Du stehst nackt vor einem Waschbecken, auf dem ersten Foto. Das Morgenlicht, das sich im Staub des Hotelfensters bricht, zeichnet Muster auf deine Haut, während du dich rasierst. Die Haare auf deinem Rücken und deinen Beinen schimmern. Links unten ist gerade noch die blaßrosa Tagesdecke des großen Bettes zu erkennen. Ich habe das Foto gemacht. Aber meine Anwesenheit merkt man einzig an der Flasche Eau Sauvage neben dem Spiegel. Ich hatte die Flasche mitgenommen, aber benutzte sie nicht, als ich erfuhr, daß du Dorian einmal das gleiche Parfum geschenkt hast. Ich wollte nicht wie deine andere Freundin riechen. Was ich hören kann, wenn ich das Foto betrachte, sind die Geräusche eines erwachenden Venedigs, die Stimmen der ersten Touristen, das sanfte Plätschern von Wasser.

Das zweite Foto ist nicht in Farbe. Es zeigt dich, wie du in schwarzer Hose und weißem Hemd auf mich zukommst. Du bewegst dich im Schatten der hohen, schmalen Häuser des Getto Nuovo, des alten Judenviertels. Der Platz um dich herum ist leer. Es ist Mittag, kein Ort, an den viele Touristen kommen. Das scharfe Licht läßt die Giebel, die in der Sonne liegen, verblassen und zeichnet ihre Konturen auf die großen, verwitterten Steinplatten, um dann an der abblätternden Farbe und den bröckelnden Steinen entlangzugleiten. Banco Rosso steht auf dem kleinen Schild links oben. Du scheinst noch weit entfernt, auf diesem Foto, in Gedanken versunken. Wir waren still an diesem Mittag, als wir die engen Gassen besichtigten, die aufeinander gesetzten Stockwerke, die Türen mit den unzähligen Namensschildern, die kleine Synagoge. Die Stille ist es, die ich höre, wenn ich das Foto betrachte. Selbst das Plätschern des Wassers, das Gegurre der Tauben und die Stimmen von Kindern, die einen Ball gegen die Mauer werfen, scheinen weit weg zu sein.

Auf dem dritten Foto schaust du mich an, hinter einem kleinen Tisch eines Restaurants im Freien, nicht weit vom Getto. Ich erinnere mich an den Wein in dem Tonkrug, an den Fisch, den wir aßen, an die grauen Katzen, die betteln kamen. Du schaust mich über dein Glas hinweg an, dein Kinn auf eine Hand gestützt. Dein Gesicht ist entspannt und offen. Es glüht in meinem Bauch, wenn du mich so anschaust, noch immer. Das ist ein Foto, das ich nicht so gern zeige, denn auf keinem anderen bist du so nackt, so wehrlos, kann man so leicht in dich hineinschauen.

Ich habe die Fotos in meiner Tasche, jetzt, da wir im Autozug nach Genua sitzen. Unsinn eigentlich, denn du, das Objekt meiner Liebe, bist körperlich anwesend und zeigst wieder den gleichen Anblick: nackt stehst du an dem winzigen Waschbecken im Schlafwagenabteil, das wir reserviert haben, für dich und mich und David, deinen jüngsten Sohn. Elias, dein ältester Sohn, ist bereits in Italien. Es ist schon unser dritter Sommer, aber ich schaue dich immer noch genauso gern an, wenn du summend da stehst und mit dem Wasser spritzt in dem viel zu kleinen Raum zwischen weinrotem Plüsch und dunkelgebeiztem Holz. David gammelt auf dem Gang herum und schaut aus dem Fenster. Ich benutze die Gelegenheit, meinen Händen, die immer zu dir wollen, freien Lauf zu lassen. Von dem untersten Bett aus erreiche ich gerade deine Beine, deinen Po. Du summst weiter, während du dich rasierst, und drehst dich um, damit ich dich leichter erreiche.

In den schmalen Betten, drei übereinander, mit David im obersten, konnten wir nicht viel anfangen. Sex kann man es nennen, diesen immerwährenden Wunsch, dich zu berühren, aber es ist einfacher als das, primitiver. Wenn ich mich im Schlaf an dich kuschle, geht es mir gut, verschwinden meine Sorgen, ordnen sich die Dinge, habe ich Frieden.

David klopft an die Tür und kommt mit dem Frühstück herein. Wir klappen die Betten hoch. Die italienische Landschaft ist noch flach, die Sonne schon warm. Mit einer ausgefalteten Karte auf den Knien überlegen wir. Wo fahren wir zuerst hin, an die Küste? David, was möchtest du? Ist mir egal, sagt David, wenn ich nur nicht in der Sonne hocken muß. Wir entscheiden uns für Rapallo. Erst einmal ausruhen, bevor wir weiterziehen. Wir haben Zeit. Wir müssen erst wieder zurück, wenn das Geld ausgegeben ist. In ein paar Wochen liefern wir David bei seiner Mutter und ihrem Freund ab, dann können wir zu zweit weiter, allein. Es wartet keine Freundin mehr auf deine Rückkehr und auch nicht mehr auf mich. Wir brauchen nicht zu schreiben. Es gibt keine schmerzhaften Augenblicke mehr, keine Gespräche mehr darüber, wer was für wen empfindet und wie es weitergehen soll. Du brauchst dir nicht mehr genau zu überlegen, welches wohl der passendste Moment ist, sie anzurufen. Du brauchst nicht mehr von einer Telefonzelle zurückzukehren, um auf eine scheinbar leicht dahingeworfene, aber bissige Frage: wie geht es ihr? zu antworten. Luxus.

Ist es nicht eintönig so, frage ich dich. Langweilst du dich nicht, fragst du mich. Wir leiden zu wenig, sagen wir schuldbewußt, das kann nicht gutgehen, so viel unverdientes Glück. Ich behalte dieses Gefühl lange, das bedrohliche Gefühl, das es zu schön ist, um wahr zu sein. Gleich bricht der Tag an, und wie in den alten Wächterliedern werden sie uns erzählen, daß sie nicht sein darf, diese Liebe.

Wir kannten uns schon seit Jahren. Es war keine Liebe auf den ersten Blick. Du hattest bereits sehr lange eine Beziehung mit Dorian, und wie ich hörte daneben auch noch eine andere Freundin. Und ich war schon wieder Jahre mit Martha zusammen. Auch in dem Augenblick, als unser Verhältnis im klassischen Sinne des Wortes begann und in eine fleischliche Gemeinschaft überging, hätten wir noch leicht umkehren können. Sagtest du es nicht sogar, als wir nach dem ersten Mal am Morgen die Treppe deines Hauses hinuntergingen. Wir können auch einfach Freunde bleiben, wenn du willst? Ich hätte Martha nicht gehen zu lassen brauchen, du Dorian nicht. Wir hätten diesen ersten Sommer nutzen können, um voneinander loszukommen. Ich hätte einen Monat lang Zeit gehabt, dich zu vergessen, als ich mit Martha nach Portugal fuhr und du mit Dorian und deinen Söhnen nach Frankreich. Einen Monat lang war keinerlei Kontakt möglich. Einen ganzen Monat, um darüber nachzudenken, was wir tun werden, wenn wir zurückkommen und uns wiedersehen. Als Freunde, als Geliebte?

Deine Freundin wußte es noch nicht. Meine ja. Ich eigne mich nicht dafür, ich bilde mir nichts darauf ein, ich kann einfach nicht anders. Ich kann nicht lügen, ich werde rot und verstricke mich in Widersprüche, ich gebe umständliche Erklärungen ab, auch wenn mich niemand darum bittet. Es gibt mir nicht unbedingt das Gefühl, daß ich einen edleren Charakter hätte, als die Leute, die nicht zwanghaft jede Gefühlsveränderung mitteilen müssen. Aber ich hätte es nicht einmal verschweigen können, nach diesem ersten Mal, denn ich kehrte voller roter Flecken von dir zurück. Die verdammten Mücken. Ich erzählte es Martha bei der ersten Gelegenheit, die sich ergab.

Ich habe dir doch schon mal von Daniel erzählt, sagte ich beim Essen zu ihr, das sie für mich in ihrem Haus gekocht hatte. Ich sagte dir doch, daß ich es toll fände, mit einem Mann befreundet zu sein, ohne daß man sofort miteinander bumsen muß?

Ich fühle die Hitze in meinem Körper aufsteigen, als ich das sage, versuche aber im Plauderton fortzufahren, nimm doch noch einen Schluck Wein. Ich bin früher schon verliebt gewesen, in den Jahren mit Martha, einmal in eine andere Frau und auch einmal in einen Mann, aber ich hatte davon nie viel Aufhebens gemacht, und Martha hatte amüsiert und mit leichter Ironie auf meine Erzählungen reagiert, auf meine Versuche, die Gefühle unschädlich zu machen, indem ich sie therapeutisch deutete. Und jedesmal, wenn es vorbei war, war ich froh, daß ich nichts davon hergemacht hatte. Zufrieden, daß ich die Ruhe nicht gestört hatte, die Martha und ich so schätzten, unsere uns allmählich liebgewordenen Gewohnheiten nicht durcheinandergebracht hatte. Aber diesmal habe ich mehr als ein Gefühl zu beichten. Eine Tat.

Letzten Montag, sage ich, letzten Montag bin ich nach der Versammlung bei Daniel hängengeblieben, wir wollten noch ein bißchen klönen, kamen etwas ins Schmusen, und plötzlich fand ich es so kindisch, es dabei zu belassen, nur damit ich noch hätte sagen können, daß nichts passiert sei ... Also bin ich dageblieben und habe mit ihm geschlafen.

Ich schaue Martha an. Sie schluckt. Und sagt dann, das ist schön für dich. Ich hatte es mir schon gedacht, weißt du. Im Nachhinein zeigt sich, daß jeder es hat kommen sehen. Martha, Daniels Freundin Dorian. Daniel selbst. Die einzige, die nichts geahnt hatte, war ich.

Martha macht keine Szene, ist nicht böse und auch nicht traurig. Noch nicht einmal mißbilligend. Ich lasse sie nicht aus den Augen, denn man weiß nie, woran man bei ihr ist, was sie unter ihrem kurzen grauen Haar, hinter ihren dunklen Augen ausbrütet. Aber es kommt noch nicht einmal ein verdeckter Vorwurf in den eineinhalb Wochen, bevor wir nach Portugal reisen. Ich sehe Daniel noch einmal, und noch einmal. Wir reden nicht darüber, was es bedeutet oder ob es was bedeutet.

Zuerst kommt ein Sommer, ein ganzer Monat, den wir uns nicht sehen werden.

An dem Tag, an dem wir abreisen sollen, kommt Martha mit ihrer Beichte. Sie hat das Auto vor meiner Tür abgestellt, ich trage meine Sachen nach draußen, das Zelt, die Tasche mit den Büchern. Möchtest du noch einen Kaffee, bevor wir fahren, frage ich. Ja, sagt Martha, ich muß dir noch was erzählen. Ich sehe, daß sie rot ist und verlegen. Ich habe vorgestern Paul gebeten, die Nacht über bei mir zu bleiben. Sie lacht etwas, halb verlegen, halb herausfordernd. Paul ist ihr Ex. Ihr Ex von fünfzehn Jahren Ehe, den sie nach endlosen Geschichten mit Freundinnen, die sie weinend wach klingelten, weil Paul noch bei einer anderen Freundin saß, an die frische Luft setzte. Ich mag Paul sogar, auch wenn er ein Schuft ist, mit seinen unschuldigen Augen und seinem ewig erstaunten Gesichtsausdruck, als wäre nicht er es, der den ganzen Wirbel verursacht, als passiere es ihm einfach. Ich kann mir gut vorstellen, was Frauen an ihm finden, und auch sehr genau, woran sie später zerbrechen. Paul ist immer sehr behutsam mit mir umgegangen, als sich herausstellte, daß ich nicht auf seine schönen blauen Augen hereinfalle, als verstünde er es nicht, daß ich, eine Frau, Martha den Vorzug gab, obendrein noch seiner Martha. Aber er hat sich damit abgefunden. Erst recht, als sich herausstellte, daß ich nicht vorhatte, mich mit den Nachwehen einer fünfzehnjährigen Ehe zu befassen und mich in ihre Versuche einzumischen, aus den Trümmern noch so etwas wie eine Freundschaft zu retten. Und jetzt hat er also wieder bei Martha geschlafen. Ich habe es nicht getan, um dich wegen Daniel zu bestrafen, verstehst du, sagt Martha. Aber ich dachte, als ich dich so ansah, daß ich ruhig auch etwas riskanter leben könnte.

Ich war noch nicht einmal auf die Idee gekommen, daß Martha imstande sei, sich zu rächen. Es überrascht mich, daß ich so wenig empfinde bei dieser Mitteilung. Vor ein paar Jahren hätte es mich mit Sicherheit umgehauen, hätte ich mich bedroht gefühlt, abgewiesen. Ungerecht oder nicht, das wäre der Moment gewesen, in dem das Ungeheuer der Eifersucht seine Pfoten nach mir ausgestreckt und langsam seine Krallen in meine Seele gehauen hätte. Sie hat einen Mann doch lieber als mich. Der Druck ist zu groß, um mit einer Frau zusammen zu leben. Sie erträgt es nicht mehr, der Ärger mit ihrer Familie, die mich nicht akzeptieren will, ist sicher zu groß geworden. Der Druck der Leute in ihrer Umgebung, die glauben, daß es eine Laune sei, ihre Beziehung mit mir, Rache für Pauls Eskapaden, Ablehnung von Männern, eine Phase, die schon wieder vorbeigehen wird. Aber nichts. Ich empfinde beinahe nichts. Ja, doch. Erleichterung. Freiheit.

Ich fange an zu lachen, und erleichtert lacht Martha mit. Wir gratulieren uns zu so viel Erwachsenheit, wir können es schon verkraften. Und warum auch nicht. Die Gewichte sind vollkommen gleich verteilt, sie einen Freund, ich einen. Wie Internatsschülerinnen sitzen wir im Auto und kichern. Aber auf der langen Fahrt durch Frankreich und dann durch Spanien fängt Marthas Rücken an zu schmerzen. Erst ein bißchen und dann schlimmer. Fast krumm steigt sie am zweiten Abend in Spanien aus dem Wagen, ich muß sie stützen, bis sie langsam ihren Rücken wieder aufrichten kann. Zu lange gefahren, konstatieren wir. Und zu hart gearbeitet, um rechtzeitig loszukommen. Mir ist auch nicht so ganz wohl, als ich neben Martha im Auto sitze und meine Gedanken um Daniel zu kreisen beginnen. Einen Monat lang ohne seine Haut, die meine berührt. Ich spule den Film vom ersten Mal zurück und lasse ihn in meinem Kopf noch einmal ablaufen. Noch einmal und noch einmal. Der Augenblick, in dem wir uns endlich aufeinander zu bewegen. O Gott, wie entscheidet man bloß, das zu tun, die entstandene Spannung im Moment der Berührung aufzulösen. Lippen. Der Geschmack seines Mundes. Sein Geruch, so eine Überraschung. Meine Hand auf seinem Rücken, auf der Suche nach einer Öffnung zwischen Hemd und Hose, an seinen Kleidern zerrend. Sein Körper so anders als der Körper, an den ich in den letzten Jahren gewöhnt war. Eckiger, haariger, härter. Ich geniere mich ein wenig, als ich merke, wie mein Atem schneller geht und meine Haut heißer wird, jetzt, da ich neben Martha sitze und nicht neben Daniel. Untreue ist das, treuloser, als wenn du mit einem anderen schläfst, diese Unfähigkeit, mit deinen Gedanken und Gefühlen bei demjenigen zu bleiben, mit dem du zusammen bist. Aber die Bilder von Daniel lassen sich nicht verscheuchen. Und allmählich, auf dem langen Weg, den wir beinahe schweigend fahren, mischen sich unter die erotischen Fetzen die ersten düsteren Vorgefühle. Was habe ich bloß gemacht? Geht das gut? Wieder eine Situation, in der wir uns weh tun werden, und ich bin schon so oft verletzt worden. Welches Risiko gehe ich ein, hält die Beziehung mit Martha das wirklich aus? Was passiert wohl erst, wenn Dorian es weiß? Schön wird sie es nicht finden, trotz der Abmachungen, die sie haben, trotz der Tatsache, daß Dorian sich an einen Daniel gewöhnt hat, der häufiger andere Freundinnen hat. Und was machen wir, wenn sie nicht damit einverstanden ist? Werde ich dann wieder aufs Abstellgleis geschoben?

Ich schaue Martha an, wie sie schweigend hinter dem Steuer sitzt. Auch sie ist offensichtlich in Gedanken versunken. Ich schaue nach draußen. Eine kahle, felsige Gegend. Der Himmel ist grau. Und da sind sie wieder, die Bilder von Daniel. Daniel, der alle seine Kleider jetzt ausgezogen hat, dessen Versammlungsgesicht sich jetzt in etwas Kreatürlicheres, Wilderes, Nackteres verwandelt. Ich erinnere mich, wie ich die Brille von seiner Nase nehme und neben dem Bett auf den Boden gleiten lasse, wie er seine Uhr abstreift, um mich nicht zu kratzen, kann jetzt noch irgend etwas runter, geht es nackter als so? O Gott, wie überstehe ich so rollig einen ganzen Monat? Und Marthas Rückenschmerzen werden schlimmer.

In Amarante, wo wir das Zelt neben dem Fluß aufgestellt haben, liegen wir im warmen Sand, jede in ihre eigenen Gedanken eingesponnen. Als ich aus einem Dämmerschlaf erwache, halb Traum, halb Wachen, sehe ich, daß in einiger Entfernung zwei melancholisch aussehende Portugiesen sitzen und geil zu mir herüberstarren. Sie sehen es mir an, denke ich, sie sehen es mir an, wie heiß ich bin. Sie riechen Heterosexualität. Das war mir lange nicht mehr passiert, wenn ich mit Martha Urlaub machte, auch nicht in südlicheren Ländern, auch nicht in Griechenland und Italien, obwohl Freundinnen mich warnten, daß ich dort ohne männliche Begleitung nichts unternehmen könne. Ich bin als fast Vierzigjährige nicht mehr im Rennen, sagte ich, sie interessieren sich nicht für etwas angestaubte Lehrerinnen. Sie stehen auf jung und langbeinig und blond oder auf ihren eigenen Frauen, die viel herausgeputzter sind als wir, mit ihren hohen Hacken und ihrer Kriegsbemalung, die sie selbst in der prallen Sonne tragen. Ich bin unsichtbar, in meinem alten Männerhemd, ohne Schminke und mit meinem zu einem unordentlichen Pferdeschwanz zusammengebundenen Haar. Aber was ich vergaß, ist, daß ich meine Empfangsapparatur für Männer total abgeschaltet hatte, daß ich mich mit all meiner Erotik auf Frauen verlegt hatte, auf Martha.

Wir schlendern zu einem Restaurant. Ich sehe mehr portugiesische Männer. Einige von ihnen erinnern mich an Daniel, die gleiche kräftige Statur, etwas rundlich dunkle Köpfe. Genauso groß wie ich. Ich liebe Übersichtlichkeit, sagte ich einmal zu Daniel, ich mag es, wenn man die Blicke beim Gehen auf gleicher Höhe austauschen kann. Ich begegne noch einmal einem Daniel und noch einem.

Martha und ich essen auf einer Terrasse oberhalb des Flußes. Wir reden wenig. Ich halte ihre Hand. Ich habe zuviel Wein getrunken. Als die Sonne mit ihrer lila-, orange- und rosafarbenen Gewalt untergeht, versuche ich den Gedanken zu verdrängen, daß ich hier so mit Daniel sitzen möchte. Ich bin doch nicht schon so hinüber, daß ich bei einem Sonnenuntergang zu heulen anfange, denke ich. Gott sei Dank hat der trockene Sand Marthas Rückenschmerzen gelindert.

2

Vergangener Glanz der italienischen Riviera. Palmen. Hecken mit knallroten und leuchtend violetten Blüten. Unter den Sonnenschirmen von Rapallo sitzen ältliche, mit einer gesunden Oberweite ausgestattete Damen und trinken Likör und Cappucino. Wir, Daniel und ich, sind im Vergleich zu diesen Leuten jung. Tiefblau glänzt und glitzert das Wasser, einladend. Daniel seufzt zufrieden, in seinem Stuhl am Wasser, und schließt die Augen, bereit, in eines seiner vielen Katzenschläfchen zu versinken. David, der das sieht, fängt an, ungeduldig hin und her zu rutschen, er will los. Und auch ich bin unruhig. Wir müssen uns noch einen Campingplatz suchen. Nur in meiner Vorstellung bin ich eine Vagabundin, eine Abenteurerin. Mein Körper möchte wissen, wo er schläft. Wir fahren aus Rapallo hinaus und finden einen Platz. Üppiges und feuchtes Grün. Ich richte das Zelt ein, breite die Laken aus und beziehe die Kissen, stelle meine Bücher ordentlich in einer Reihe in einer Ecke des Zeltes auf. Ich wohne. Nun können meinetwegen die Streifzüge beginnen.

Daniel hilft David noch bei seinem Zelt. David ist sechzehn und schlechter Laune. Eigentlich wollte er nicht zelten. Eigentlich wollte er überhaupt nicht mit nach Italien, aber seine Mutter hat ihm nicht erlaubt, allein zu Hause zu bleiben. Also ist er mitgekommen, festentschlossen zu leiden. Er beklagt sich über Ungeziefer. Er jammert über zuviel Sonne. Sein kleines Zelt, stellt sich am nächsten Tag heraus, steht auf einem

Ameisenhaufen und seine Luftmatratze hat in der Nacht die Luft verloren und seine Decke stinkt nach der Pisse einer von Daniels Katzen. Auch das Angebot, daß er fortan im Auto schlafen könne, kann ihn nicht milder stimmen. Er sitzt auf einem Stuhl im Schatten, immer noch in seinen dunkelblauen Klamotten, während wir unser weißes Winterfell schon lange entblößt haben, liest in den Comic-Heften, die er schon fünfmal durch hat, und verbreitet düstere Wolken von Unfrieden.

Als auch Angebote von Chips und Eis nicht helfen wollen, lassen wir ihn in Ruhe. Wir sind zu beschäftigt, uns neue Gewohnheiten zu schaffen. Urlaub ist das Verlegen des Haushalts in eine primitivere Umgebung, sagte einmal eine Feministin, und es ist das erste Mal, daß wir uns zusammen einen Haushalt einrichten. Ich kenne Daniels Körper bis in die kleinste Falte, ich kenne viele seiner Gewohnheiten, aber wir wohnen jeder in unserem eigenen Haus. Wir sind Eigenbrötler und nicht mehr so jung. Daniel hat sich vor zwölf Jahren scheiden lassen, ich schon vor achtzehn. Wenn ich bei ihm bin, passe ich mich seinem Bedürfnis nach Ordnung an, werfe meine schmutzigen Socken sofort in den Wäschekorb und lege meine Bücher auf einen Extrastapel. Wenn er bei mir ist, ärgert er sich nicht über meine Schlampigkeit, sagt nichts zu dem Abwasch von gestern, der noch herumsteht, bahnt sich einen Weg durch die Bücher und Zeitungen, mit denen der Boden übersät ist, und ist kein bißchen verärgert, wenn sich herausstellt, daß das Telefon nicht funktioniert, weil ich schon wieder einmal vergessen habe, die Rechnung zu bezahlen. Die letzten Ferien waren kurz, und wir ließen uns in Hotels bedienen. Aber jetzt hocken wir uns einen Monat lang auf der Pelle, und vorsichtig probieren wir aus, wie das gehen soll. Wenn wir die Küchensachen nun unter den Pfirsichbaum stellen, dann können wir hinter dem Zelt im Schatten essen. Glaubst du nicht auch, daß es praktischer wäre, unter den Trauben zu kochen? Ich nehme den Plastikkanister, um Wasser zu holen. Neben uns steht ein

18

Zelt, das, wie sich herausstellt, zwei Frauen bewohnen. Den deutschen, alternativen Wagen mit den Beulen und den Anti-Atombomben-Aufklebern auf der Windschutzscheibe hatten wir bereits entdeckt. Deine Leserinnen, schätze ich, sagt Daniel, der gerade an ihnen vorbeigegangen ist und sie gegrüßt hat. Und verdammt noch mal, als ich an den Decken vorbeikomme, die sie auf dem Rasen ausgebreitet haben, mit dem Plastikkanister in der Hand, um Wasser zu holen, entdecke ich unter den Büchern, die sie dabeihaben, den lilafarbenen Umschlag von ‹Die zweite Sünde› auf deutsch. Sie schauen hoch, die Frauen, etwas jünger als ich, und gleich wieder weg. Vielleicht saßen sie unter den Leuten, die nach Berlin gekommen waren, um mich zu sehen, als ich einen Vortrag hielt über das Verhältnis zwischen Lesben und Heterofrauen, aber hier, mit Daniel und David, als Teil einer Familie, bin ich unsichtbar geworden. Genauso unsichtbar, wie ich für Männer war, als ich mit Martha unterwegs war, verkleidet wie zwei Lehrerinnen auf Reise. Sie sind allein, sagte ein Kellner in einem Restaurant, als Martha und ich einen Tisch suchten. Oder: Sie sind zu viert, den Blick auf den Platz hinter uns gerichtet, wo unsere Männer hätten auftauchen sollen. Heterosexisten können nicht bis zwei zählen, stellten Martha und ich fest. Sie sind Schwestern, fragte uns der Chef des Campingplatzes, und wir versuchten erst gar nicht, ihm klarzumachen, daß das nur die halbe Wahrheit ist.

Ich bin es nicht gewohnt, als Familie angesehen zu werden, aber es passiert automatisch, jetzt, wo wir mit drei Personen in einem Auto angefahren kommen und unsere Sachen unter den Pfirsichbäumen auspacken. Ein Mann, eine Frau, ein großer Junge. Und um es noch schlimmer zu machen, scheinen wir genau in diese Rollen zu fallen. Ich sorge für das Essen. Daniel kann ausgezeichnet kochen, in seiner eigenen Küche, mit dem Kochbuch in der Hand. Ich bin im Improvisieren geübter, mit ein paar Sachen vom Markt oder aus dem Laden vom Campingplatz, in der Hocke hinter einer kleinen Flamme. Ich liebe es, irgend etwas aus fremdartigen Fischen und frischem Basilikum zusammen zu zaubern. Dafür kann Daniel fahren. Jetzt habe ich auch meinen Führerschein, endlich. Nach dem katastrophalen Sommer mit Martha in Portugal. Aber es ist für mich immer noch ein Opfer, mich durch den dichten Verkehr von Genua zu wühlen – winzige, hupende Fiats, die ständig auf der falschen Seite auftauchen oder mich zu schneiden versuchen. Also haben wir für diesen Urlaub einen Vertrag geschlossen. Ich koche. Daniel fährt. Die Zeit, da ich täglich beweisen mußte, daß ich mich nicht unterdrücken lasse und ausgezeichnet für mich selbst aufkommen kann, liegt auch hinter mir. Und so sind wir auf diesem Campingplatz nicht von den Familien zu unterscheiden, die ich früher so gehaßt habe, und unsere Nachbarsdamen mustern mich mit mißbilligenden Blicken.

Stört es dich, fragt Daniel.

Nein, ich will auch mal Ferien von dem Druck haben, immer als Symbol der Bewegung betrachtet zu werden. Die ganzen Briefe nach ‹Die zweite Sünde›, die Frauen, die mich fragen, wie sie leben sollen. Als ob ich das wüßte. Natürlich ist es ein ungeheures Hochgefühl, wenn du tausend erwartungsvolle Gesichter siehst und weißt, daß sich draußen noch ein paar Hundert drängeln, die dich auch sehen und hören wollen. Ich konnte mir kaum den Weg zum Mikrofon bahnen, Frauen wurden böse, weil sie dachten, ich drängle mich vor, und ich dachte, wenn ich mich nun einfach hinsetze und genauso erwartungsvoll in die Richtung starre, wo ich selbst auftauchen sollte, passiert überhaupt nichts. In dem Augenblick, als ich das Mikrofon erreichte, meine Hand danach ausstreckte und in den Saal blickte, begriffen sie, daß ich es war, auf die sie warteten. In dem Moment, als der Beifall ausbrach, schob sich etwas zwischen mich und die Menschen, die klatschten. Ihre Vorstellungen, Projektionen, Erwartungen. Aber erstarrte ich selbst nicht auch, in einem Buchladen in Paris, als ich neben mir eine Frau stehen sah, die Simone de Beauvoir ähnelte? Sie hatte ein lilafarbenes Tüllband um ihr graues Haar, trug unter einer Bluse einen lilafarbenen Rock. Verdammt, es war Simone de Beauvoir, und voller Ehrfurcht schaute ich zu, wie sie sich ein Buch einpacken ließ, bezahlte und sich mühsam Schritt für Schritt die Treppe hinauf zum Ausgang schleppte und sich dabei mit der Hand am Geländer festhielt. Schon so alt, so zart und zerbrechlich. Es schmeichelt dem eigenen Ego, als Anführerin gesehen zu werden. Aber es ist auch nervig. Manchmal nehmen Frauen mir den Sockel übel, auf den sie mich selber gestellt haben. Manchmal werde ich kritisiert, wenn ich ein Interview gegeben habe, und dazu ein Foto erscheint. Und was ist mit ihr, zeige ich auf ein Poster von Emma Goldman im Zimmer der Frau, die mir vorgeworfen hatte, die Leute würden in mir die Personifikation der Bewegung sehen. Das ist etwas anderes. Denn Emma Goldman ist tot. Und ich noch nicht.

Eine Frau in der Gruppe bekommt einen Wutanfall, als ich erzähle, daß ich mir ein paar Tage freinehme, um mich sterilisieren zu lassen. Verdammt noch mal, ruft sie, als ich sie frage, warum sie darüber so böse sei. Verdammt noch mal, du bist doch diejenige gewesen, die gesagt hat, daß man auch anders miteinander schlafen kann. Aber ich habe doch nicht gesagt, daß man es anders *muß*, sage ich. Ich finde Vögeln zufälligerweise äußerst angenehm. Ich wäre von allein nie darauf gekommen, aber ich finde, es ist eine tolle Erfindung. Ich sage doch nicht, daß du es auch schön finden mußt. Da bricht sie in Tränen aus. Seit Monaten hat sie Krach mit ihrem Freund, der sie als frigide beschimpft, und mit meinem Buch in der Hand versucht sie, ihn zu erziehen.

Siehst du, hier steht es, viele Frauen finden es durchaus

schön, mit Männern zu schlafen, aber nicht mit ihnen zu ficken, das ist ganz normal. Mit mir als Vorbild hat sie ihm standgehalten, und nun, nun komme ich an und erzähle ihr, daß ich inzwischen ... Rasend ist sie auf mich.

Ich lerne es, mit der Starrheit der Erwartungen der Leute umzugehen, die glauben, daß ich ewig so bleibe, wie sie mich in ‹Die zweite Sünde› kennengelernt haben. Als ob ich sie im Stich ließe, bei jeder Weiterentwicklung, die ich erlebe, als ob jede Veränderung in meinem eigenen Leben Verrat wäre. Ich habe der Frau gesagt, die mich anrief und fragte, ob ich in der Schwulen- und Lesbenwoche auftreten wolle: bist du sicher, daß du mich haben willst? Ich passe nicht in die Normen des politischen Lesbentums. Sicher, Martha war jahrelang meine Liebe, und ich habe auch andere Frauen geliebt und liebe sie noch immer, und ganz gleich, was auch immer geschehen mag, einen Frauenkörper zu mögen, kann man genausowenig verlernen wie Fahrradfahren. Aber ich habe keine Lust, nur in den Damensalons zu verkehren und mein Liebesleben dem antipatriarchalen Kampf unterzuordnen. Andreas Burnier mag meinetwegen dann behaupten, daß jede Frau mit einem Intelligenzquotienten über 120 zwangsläufig eine Lesbe sei. Aber darf man es mit einem Intelligenzquotienten über 140 wieder selbst wissen? Ich bin euch sicher nicht lesbisch genug, sage ich der Frau, die mich anruft, soll ich dir Adressen geben von Frauen, die echt aus der Szene kommen? Nein, nein, sagt sie, dich wollen wir haben, wir wollen die Verfasserin von ‹Die zweite Sünde›. Dann müssen sie es selbst wissen. Aber als ich dort bin, können sie wenig mit mir anfangen.

Beim Frühstück, das sie mit viel Liebe für mich gemacht haben, die beiden Freundinnen, die mir meine Unterkunft besorgt haben, kommt endlich der Haken zum Vorschein. Es gibt Gerüchte über dich, hier in Deutschland, fängt die eine vorsichtig an. Eine deutsche Lesbe hat dich in einem Amsterdamer Restaurant gesehen, mit einem Mann. Einem großen

Blonden, sagte sie. Das kann schon sein, das wird mein Sohn gewesen sein, der sieht aus wie ein Edelgermane. Sie holen erleichtert Luft. Denn mein Liebhaber, sage ich, der ist klein und dunkel. Es entsteht eine bedrückende Stille. Möchtest du noch Kaffee, fragt die andere.

Hier in Rapallo habe ich Urlaub von meinem Image. Ich bin unsichtbar, verkleidet als Daniels Frau, als Davids Mutter. Wie ich eigentlich immer Urlaub habe bei Daniel, der sich nicht im geringsten von dem Wirbel beeindrucken läßt, sondern ihn als meine Arbeit betrachtet. Schön, wenn sie auf Interesse stößt, ärgerlich, wenn die Leute aggressiv werden, wenn sich herausstellt, daß sie ihre Erwartungen nicht erfüllt. Amüsiert beobachtet er die Wirkung auf seine Umgebung, als herauskommt, daß er der Freund dieser bekannten Frau ist. Es ist immer die Frauenrolle gewesen, sich in den paar Strahlen, die vom Glanz des Status deines Mannes abfallen, zu sonnen, und nun sieht *er* einmal, wie das ist. Er steigt in der Achtung einiger Studenten, merkt er, und es gibt Männer, die auf ihn zu kommen und ihn fragen, äh, sag mal ... wie ist sie nun eigentlich wirklich? Einmalig, sagt Daniel. Einmalig.

3

In Genua machen wir uns auf die Suche nach Paganinis Geige. Das heißt, Daniel macht sich auf die Suche, und ich gehe mit. Geigen sind sein Gebiet. Wir finden das Rathaus. Keine Schilder, die uns den Weg weisen. Als wir fragen, ja, ja, die Geige von Paganini, werden wir in ein höheres Stockwerk geschickt. Dort sind gerade Trauungen im Gange, wir können erst hinein, wenn die vorbei sind. Wir lehnen uns über die Balustrade und blicken auf den marmornen Innenplatz mit den großen Palmenkübeln. Vögel fliegen dort herum, das Dach ist offen. Aus dem Trauungssaal klingt fade, sentimentale Musik herüber. Das wird nichts, urteile ich hart. Ein älterer, eleganter Herr, der eine junge Frau geheiratet hat, die, wie an der Kleidung der Gäste zu erkennen, aus gutem Hause kommt. Der zukünftige Ehegatte ist schon jetzt von ihrem Gekicher und Geküsse genervt. Sie ist herausgeputzt wie ein Törtchen, das man später verspeisen kann. In einem Jahr hat er sich eine Nebenfrau zugelegt, schätze ich. Und sie hat nur gelernt, zu schmollen, nicht zu kämpfen, nicht auf ihren eigenen Füßen zu stehen.

Daniel redet über Geigen. Ich weiß darüber wenig. Einer der Vorwürfe, die ich meinem Elternhaus mache, ist, daß wir für einen Lebensstil mit Pferdereiten und Klavierspielen genügend Geld hatten, daß ich aber nichts Richtiges gelernt habe. Bei Daniel war das anders, da gab es kein Geld, schon gar nicht für eine Geige und Unterricht.

Noch ein Hochzeitspaar. Wie eine Schar bunter Vögel schwebt die Gesellschaft die breiten Treppen hinunter. Wir dürfen in den Saal. Eine Tür wird aufgeschlossen, ein Saal mit Kristallleuchtern und dicken Teppichen, noch eine Tür. Ein Schrank. Der Saalwärter holt einen neuen Schlüssel hervor, öffnet den Schrank und schaltet das Licht an. Die Geige, auf Samt, hinter Glas. Schweigend geht Daniel in die Knie, um besser sehen zu können. Er betrachtet die Geige. Ich frage ihn, wie er als Kind in einem heruntergekommenen Arbeiterviertel in Amsterdam zu seiner Liebe zu Geigen kam. Ein Jahr lang beobachtete er, als elf-, zwölfjähriger Junge, die Kinder aus seiner Klasse, die auf die Volksmusikschule gingen, bevor er sich anmelden durfte. Die einzigen Instrumente, die es damals dort gab, waren die Blockflöten, die sie selbst mitbrachten, und die Geige des Lehrers. Für ein Klavier hatte die Schule damals kein Geld. Als er gute Zensuren bekam, durfte er sich ein Instrument aussuchen und entschied sich für Geige. Zu Hause begann seine Mutter sofort auf ihn einzureden, sie hielt ihn für zu unbeholfen, du machst alles kaputt, du bist zu ungeschickt. Und sein Vater sagte, daß er es nicht bezahlen könne. Sonst hätte sein Vater es ihm erlaubt.

Vor dem Krieg war mein Vater Drogist. Aber all sein Geld hat er gebraucht, um unterzutauchen. Nach dem Krieg war nichts mehr da, bis auf das bißchen Entschädigung. Ich komme zwar aus einem armen Stadtviertel, aber mein Vater war fest davon überzeugt, daß wir zur Arbeiterelite gehörten. Ich erinnere mich an meinen Großvater, schwarzer Opa nannte ich ihn, weil er so dunkel war, das war ein schöner Mann, mit einem Schnurrbart. Diamantschleifer, Sozialist, aber auch ein bißchen Freibeuter. Viele Künstlerfreunde. Es gab in der Familie einige Gemälde. Im Krieg wurden die geklaut. Nein, nicht von den Deutschen, von Niederländern. Mein schwarzer Opa war so 62 oder 63, der wollte nicht mehr untertauchen. Ist in das Durchgangslager nach Vaught gegangen und muß sofort vergast worden sein. Es gab auch Musiker in der Familie, einer ist schon vor dem Krieg ausgewandert, ein anderer hat Selbstmord gemacht. Auch mein Vater ging manchmal in Konzerte.

Daniel drängte weiter darauf, eine Geige zu bekommen. Die Schule stimmte zu, er durfte sich auf Kosten des Schulfonds im Musikalienhandel eine kleine Geige holen. Dort angekommen, wußten sie anscheinend von nichts, die Schule hatte vergessen, anzurufen, aber Daniel ließ sich nicht mehr wegschicken, der wollte Geige spielen lernen.

Es war das einzige Loch in der Mauer meines Milieus, das ich entdecken konnte, sagte Daniel, die einzige Perspektive auf ein anderes Leben. Ich kann mir gut vorstellen, was sie gedacht haben müssen in dem Laden. Ich sprach wie ein Gassenjunge, ich sah aus wie ein Gassenjunge. Ich kam aus dem indischen Viertel, ich war ein Gassenjunge. Ich bekam meine Geige. Sie vergaßen, mir zu sagen, daß ich den Violinbogen harzen mußte. Als ich sie zu Hause ehrfürchtig aus dem Kasten herausgeholt hatte, konnte ich ihr kein Geräusch entlocken. Dann muß es wohl fürchterlich schwer sein, dachte ich schwitzend und nahm sie mit zur Musikschule.

Ich wußte nur etwas über Musik, weil ich viel gelesen hatte, Noten konnte ich kaum lesen. Eigentlich war es schon zu spät, eigentlich war ich schon zu alt, wenn man richtig gut werden will, muß man den entsprechenden Hintergrund haben, schon etwas können, wenn man zehn ist. Aber ich machte weiter, raste wie ein D-Zug durch meine Übungsbücher. Ich wollte auf das Konservatorium, aber vorher wollte ich die Mittelschule abschließen, das kam mir vernünftiger vor. Niemand glaubte wirklich, daß ich es schaffen würde. Ich erinnere mich noch an meine Angst, als der Lehrer mir damals sagte, wenn du wirklich etwas kannst, wirst du das

Geigenspielen auch neben der Schule durchhalten. Es klang nicht so, als würden sie glauben, daß es wirklich etwas werden könnte.

In meiner Militärzeit kroch ich tagsüber über die Felder, abends kratzte ich stundenlang Tonleitern und Etüden in dem kleinen Zimmer eines Offiziers, der das für mich organisiert hatte. Aber schließlich bin ich doch auf die Universität gegangen. Ich hatte nicht das Gefühl, daß ich es mir erlauben könnte, mich zu irren; jeder sagte, daß man kein Stück trocken Brot mit Musik verdienen könne. Und ich wußte nicht, ob ich gut genug war, ich dachte, lieber ein mittelmäßiger Soziologe als ein mittelmäßiger Violinist.

Daniel schaut auf seine Hände, die Finger gespreizt. Kräftige Finger. Aus dem Trauungssaal erklingt wieder eine sentimentale Weise. Nun, im Nachhinein, denke ich, daß ich es wohl geschafft hätte. Aber ich habe zu spät angefangen und hatte nicht den richtigen Hintergrund. Ich wäre kein Perlman oder Zukerman geworden, aber zu einem Quartett hätte ich es wohl gebracht.

Ich habe seine erste Geige gesehen, sie hängt in seinem Zimmer neben der Viola, die später dazukam, ziemlich kahlgespielt. Meine kleine Zigarrenkiste, sagt er liebevoll. Er erzählt es mit Wehmut, beinahe ohne Bitterkeit. Der Klassenhaß ist vorbei. Aber manchmal, wenn er jemanden sieht, der alles mitbekommen hat, um aus seinem Talent etwas zu machen, piekst es ihn.

Ich schaue ihn an, so wie er erst schweigend, beinahe mit angehaltenem Atem starrt, sich setzt, um besser durch die spiegelnde Scheibe sehen zu können. Und dann beginnt er zu reden, und zeigt, mit seinen Händen, der Wirbel, der Lack, die F-Löcher, sehr elegante F-Löcher, siehst du, daß das eine größer ist als das andere?

Eines der ersten Bilder von Daniel, des privaten Daniels, nicht des Daniels aus den Versammlungen, woher ich ihn kannte. In seinem großen dunklen Zimmer, spät abends, spielte er für mich auf seiner Viola. Ein Schweißtropfen lief ihm aus seinem Haar über die Wange. Ich wußte nicht, daß Geigespielen so harte Arbeit ist. Und ich kann fast nicht hinschauen, wie er da steht, nackter, als wenn er ausgezogen wäre. Wenn jemand liest, was du geschrieben hast, sagt Daniel, schaut er doch auch in dich hinein. Aber das ist anders, denn dann bin ich schon längst nicht mehr dabei. Einmal, als ‹Die zweite Sünde› gerade erschienen war, und ich heimlich in den Buchladen gegangen war, um zu gucken, wo ich herumlag, warm neben der Kasse, hätte ich das Buch am liebsten einem Mann aus den Händen reißen mögen. Er gefiel mir nicht, und seine Hände gefielen mir nicht. Ich fühlte mich besudelt, wie er dastand und in dem Buch herumblätterte; die Kennergeste, mit der er das Buch aufschlug und den Rücken brach, fühlte ich in meinem Magen. Als er Geld hervorholte, wurde ich verkauft. Er kaufte mich, ein Stück meines Lebens, inklusive aller Lieben, aller Verzweiflung und aller Mißerfolge. Ist das alles, hätte ich zischen mögen, als er das Wechselgeld in sein Portemonnaie steckte, 25 Gulden, glaubst du etwa, das ist ein ehrlicher Tausch?

Ich habe mich daran gewöhnt, eine bekannte Frau zu sein. Inzwischen. Ich habe mich daran gewöhnt, daß Leute, die ‹Die zweite Sünde› gerade gelesen haben, mich mit Trauermiene fragen: wie geht es dir jetzt, so als hätte ich noch teil an den Dramen von damals. Ich bin schneller als meine Bücher. Ich bin immer schon irgendwo anders, wenn Menschen in das Innerste derjenigen schauen, die ich war. Aber Daniel, der Viola spielt, ist nackt. Und nackt ist er, wenn er sich Paganinis Geige anschaut, die Träume und Sehnsüchte und die Trauer über das, was nicht ging und nun auch nicht mehr gehen wird. Er ist beinahe fünfzig. Er seufzt. Gesättigt. Komm, sagt er, Zeit für ein kleines Straßencafé.

Wir blättern in den Reiseführern, die wir mitgenommen haben. Im Moment haben wir wenig Geld für das Reisen mit dem roten Michelin, sind aber zu alt und zu anspruchsvoll für das Reisen nach dem Studentenführer, den wir auch dabei haben. Also kombinieren wir beides. Wir haben keine Eile, haben einen ganzen Monat vor uns. Außer den Konzerten in Preggio, der Übergabe Davids an seine Mutter und außer einer Verabredung mit einem Freund Daniels in Verona haben wir keine festen Termine. Es kommen noch mehr Geigen dazu, in Florenz und Cremona, Stradivaris, Guanneris und Amatis. Findest du das nicht langweilig, fragt Daniel. Ich finde es nicht langweilig. Wenn ich nur Daniel anschauen darf, wenn er sich die Geigen ansieht.

Daniels viele Gesichter, ich kenne jetzt schon eine ganze Reihe. Sein Gesicht, wenn er schläft. Sein Gesicht, wenn er beim Frühstück sitzt und schon an seine Arbeit denkt. Wieder ganz anders als sein Gesicht, wenn er Geige spielt. Sein Gesicht bei dem Begräbnis seiner Mutter. Sein Gesicht, wenn er seine Söhne anschaut. Und wenn er einen Orgasmus bekommt. Wenn er müde ist. Und wenn er dasitzt und mich nachdenklich anschaut und ich denke: was sieht er, was sieht er bloß?

Vor zwei Jahren kannte ich nur sein Gesicht von den Versammlungen und auch nur sein Verhalten von den Versammlungen. Wir sind in beinahe allem verschieden, würde man denken. Ein unglaubliches Paar. Er ist ein Mann, ich bin eine Frau. Für eine gute Beziehung stellt das schon ein ernsthaftes Hindernis dar. Er kommt aus einem Arbeiterstadtteil in Amsterdam, einem Stadtteil, von dem ich als Kind sorgsam ferngehalten wurde. Bei mir gab es immer genug zu essen, aber es schmeckte mir nicht. Bei ihm gab es selten genug, und seine Militärzeit, sagt er, war das erste Mal in seinem Leben, daß er so viel essen konnte, wie er nur wollte. Er ist zehn Jahre älter als ich, zehn entscheidende Jahre. Als ich geboren wurde, am Kriegsende, hatte er schon am Muiderpoort-Bahnhof gestanden und die Juden gesehen, die dort auf ihre Deportation warteten, mit Kartons und Koffern auf den Steinen hinter dem Drahtgitter, auf dem Platz gleich neben den großen Gascontainern. Ich spürte den Druck zu Hause, sagt Daniel, einige Leute dachten, es würde schon wieder vorbeigehen, aber bei uns zu Hause hattest du das Gefühl, als würde sich das Unheil über deinem Kopf zusammenbrauen. Ich wollte es wissen. Ich ging hin, um es mir anzusehen. Ich lief, so klein und so ängstlich wie ich war, hinter deutschen Soldaten her, um zu sehen, was sie vorhatten.

Daniels Vater war Jude. Er selbst bezeichnet sich als Jude. Auch wenn er fast genausowenig über Chanukka und Passah weiß wie ich, und auch wenn sein Sabbat am Freitagabend nur aus dem Bedürfnis besteht, alle seine Lieben, seine Freunde und Kinder, die ganze Mischpoke beim Essen um sich herum zu versammeln – du hörst nicht auf, ein Jude zu sein, auch wenn dein Vater die Familie schon vor dem Krieg bei der Jüdischen Gemeinde hat streichen lassen, sagt Daniel. Auch wenn du es möchtest. Wie bin ich nur an dich geraten, frage ich, wenn ich ihn spät abends nach einem Konzert mit experimenteller Musik krähend über die Amstel laufen sehe, wenn ich ihn über einen Witz lachen sehe, den er zum viertenmal erzählt, wenn er redet und redet, über Karel van het Reve, der über Stalin etwas sehr Richtiges geschrieben hätte, sich aber bei Freud geirrt hätte. Über die sozialistische Radiostation, vielleicht sollten sie allen Mitarbeitern diese proletarischen Brottüten schenken, damit die Spesenrechnungen für das Mittagessen nicht so hoch werden. Und Hannibal, wie war Hannibal über die Alpen gekommen mit den ganzen Elefanten, und wo hatte er die Elefanten her?

Hannibal? frage ich, Hannibal, wie kommst du darauf, ich war noch beim Radio. Daniel, frage ich ihn, während er dasteht und mit dem Küchenmesser herumfuchtelt, die Äpfel für den Apfelkuchen, den er mit links machen kann, zur Hälfte geschält, ein Glas Weißwein in der anderen Hand, wie bin ich bloß an dich geraten?

4

Der Tag im Zelt beginnt warm und orange. Es gibt Nächte, in denen wir jeder für uns schlafen und einander erst nach dem Aufstehen begegnen. Es gibt Nächte, in denen wir zusammen schlafen, du mit deinem Atem meinen Nacken wärmst und dein Körper sich unwillkürlich meinem anpaßt, wenn ich mich umdrehe. An meinen Pobacken wird der erste Teil von dir sanft klopfend wach. Augen und Münder noch vom Schlaf geschlossen, findet meine Hand dich – es gibt eine einfache, direkte Verbindung zwischen meiner rechten Hand und deinem eigensinnigsten Teil, wenn diese Verbindung hergestellt ist, geht der Rest meines Körpers instinktiv mit, die Feuchtigkeit verteilt sich wollüstig, hemmungslos, lüstern. Ich schlafe rechts, du links, wenn wir andersherum schlafen, stimmt die Handschrift unserer Liebe nicht. Meine Stimme dämpfe ich in deinem Nacken, ich höre deinen Atem an meinem Ohr schneller gehen. Erst danach werden wir richtig wach und öffnen die Augen.

Es ist schon warm in dem orangefarbenen Licht des Zelts. Mit nassen Leibern tasten wir nach irgend etwas Anziehbarem, ziehen den Reißverschluß des Zelts herunter. Draußen ist es noch blau, und kühl. David sitzt bereits unter seinem Sonnenschirm.

Hast du schon Wasser aufgesetzt, David?

Es ist Sonntag. Die Kirchenglocken haben geläutet. In dem kleinen Laden, wo ich frische Brötchen hole, kaufe ich uns in einer Anwandlung ein Viertel Pfund Schinkenspeck. Als ich zum Zelt zurückkomme, hat Daniel Tee gemacht und die Eier zurechtgelegt. Es ist Sonntag, sagt er, mir schien es Zeit für Eier und Speck zu sein. Machte das nicht immer dein Vater, am Sonntag?

Welche guten Erinnerungen hast du an deinen Vater, fragt Hilde, meine Therapeutin. Keine, sage ich bockig. Gar keine. Wenn ich an meinen Vater denke, sehe ich wieder, wie er mich immer mit Geld strafte. Immer wieder zog er mir einen Viertelgulden von meinem Taschengeld ab, so daß ich mir das Taschenbuch, das schon seit zwei Wochen in der Auslage lag und mir in die Augen stach und das 1,25 Gulden kostete, gerade nicht kaufen konnte. Ich hatte dafür gespart. Nun würde es noch eine Woche dauern. Nun mußte ich wieder der Versuchung widerstehen, den Gulden, den ich schon beisammen hatte, ganz zu lassen und nicht für Lakritzpfeifen und Lollis bei dem Süßigkeitenmann um die Ecke auszugeben. Eine Kinderbücherei hatte ich schon durch, und die neue lag mit dem Fahrrad eine halbe Stunde entfernt. Und, ja, immer der Streit um die Fahrräder. Tagsüber durften sie nicht drinnen stehen, weil der Flur sonst voll gewesen wäre. Aber bevor wir ins Bett gingen, mußten wir sie selbst ins Haus hineinstellen. Und immer wieder vergaß ich es. Dann weckte er mich aus meinem ersten Schlaf, und ich mußte nach draußen, um das Ding hineinzustellen, zitternd und frierend vor Müdigkeit – ich höre die Entrüstung in meiner Stimme. Mein Kind habe ich nie aufgeweckt, wenn es schlief, ich nicht. Manchmal, wenn meine Mutter es gemerkt hatte, stellte sie mein Fahrrad hinein. Aber nur, wenn mein Vater es nicht sehen konnte. Nie hat sie ihm widersprochen. Von meiner Mutter habe ich das gelernt, dieses «Leiste nie einem Mann offen Widerstand, sonst kriegst du nur noch mehr Ärger». Manchmal, wenn ich ohne Essen ins

Bett geschickt worden war, brachte sie mir ein Butterbrot. Und wenn ich mich entschuldigen sollte – und ich sollte mich oft entschuldigen für etwas, was mir nicht leid tat – sagte sie zu mir, nun stell dich nicht so an, was macht es dir schon aus, sei die Vernünftigere. Meine Mutter ...

Dein Vater, sagt Hilde, deine Mutter haben wir durch, sagt sie freundlich, aber streng. Welche schönen Erinnerungen hast du an deinen Vater. Irgendwo von weit her kommt der Geruch von gebratenen Eiern mit Speck. Sonntagmorgen. Mein Vater in der Küche, der einzige Augenblick in dem man ihn dort antreffen konnte. Er wußte, wie man Eier braten mußte, mit viel Butter, der Speck knusprig, die Dotter verlaufen. Er pfiff dabei, falsch, aber fröhlich, Lieder von Ella Fitzgerald und Louis Armstrong. Der Geruch, der langsam die Treppe hinaufzog, war das einzige, was mich sonntags aus dem Bett bringen konnte, wo ich mich mit einem Stapel Büchern aus der Bibliothek oder mit dem neuesten Taschenbuch gegen das Leben verschanzt hatte. Die Eier waren mir lieber als das Essen meiner Mutter, das mir nicht schmeckte. Matschiges grünes Gemüse, vor dem mir graute, und doch immer Zwiebeln im Salat, auch wenn sie sagte, daß sie nur ganz unten welche hineingetan hätte. Sonntagmorgen war der Augenblick, wo ich meinen Vater einmal sorgenfrei und liebevoll erlebte. Daß er Schabbes mit uns machte. Und was noch? fragt Hilde.

Manchmal, wenn es stürmte, wollte er auf der Mole von Ijmuiden spazierengehen. Meine Mutter hatte dafür wenig übrig. Mein kleiner Bruder auch nicht. Dann ging ich mit. Schweigend, im Auto. Und dann gegen den Sturm anlaufen, große Wellen, die gegen die Basaltklötze klatschten, zusammen mit den anderen Sonderlingen in gelben Öljacken und Gummistiefeln, die sich ebenfalls hinausgetraut hatten. Schweigsame, etwas finstere Menschen. So schweigsam wie mein Vater. Bevor wir zurückgingen, aßen wir an einer kleinen Bude leckeren Fisch, Bücklinge und Schollen. Zu Hause mochte ich keinen Fisch. Hier neben meinem großen, schweigsamen Vater schon. Aber immer dachte ich darüber nach, ob er mich wohl mitnahm, weil er das wollte oder nur, weil niemand anders mitging.

Wie nanntest du deinen Vater?

Papa, sage ich, unwillig.

Kannst du dir vorstellen, daß ich dein Vater bin und zu mir sagen, Papa gehst du mit mir auf der Mole spazieren?

Nein, sage ich, dickköpfig, klein. Ich habe meinen Vater aufgegeben, ich brauche ihn nicht mehr, nie war er da, wenn ich ihn brauchte. Nun ist es zu spät.

Papa, sagt Hilde geduldig und beharrlich, als ob sie mir einen Löffel Spinat vorhalten würde, der gut für mich ist, den ich aber nicht schlucken will, Papa, gehst du mit mir auf der Mole spazieren?

Meine Wangen werden naß, genauso wie damals in Ijmuiden, wo ich an der Hand meines Vaters über die glänzend schwarzen Klötze balancierte und die Gischt mir gegen die Regenjacke spritzte.

Ich will das nicht mehr, ewig dieses Gejammere, sage ich zu Hilde, die Hände vor mein Gesicht geschlagen. Erst ein Jahr Geflenne um meine Mutter und nun noch mal das Ganze mit meinem Vater. Hört das denn nie auf?

Wir bekommen es nicht geschenkt, aber es hört schon auf, sagt Hilde, während sie mich festhält und mir ein Taschentuch reicht.

Das ist mein Vater, sage ich zu Daniel, der nach dem Duschen in meinem Bademantel vor der Wand steht und sich das Foto ansieht. Es ist eines der ersten Male, daß er bei mir zu Hause ist. Das Foto wurde 1946 aufgenommen – steht auf der Rückseite. Meine Familie. Alle etwas blaß und mager, niemand lächelt. Ich sitze auf dem Schoß meines Vaters, eineinhalb oder fast zwei, freche Augen, die direkt in die Kamera gucken, Pausbacken, die den Hungerwinter Lügen zu strafen scheinen, die Mundwinkel nach unten gezogen, wie heute auch noch. Die eine Hand in der großen Hand meines Vaters, die andere nach Oma ausgestreckt.

Ich dachte mir schon, daß das dein Vater ist, sagt Daniel. Weißt du, wem er ähnelt, fragt er, und grinst dabei, als hätte er mich bei etwas Verbotenem erwischt.

Ja, ja, sage ich, vor allem dann, wenn du aus der Dusche kommst und deine Haare nach hinten gekämmt hast. Und du hast ja auch genauso eine Brille. Ganz genau.

Im Nachhinein denke ich, daß ich es hätte voraussehen können. Wenn wir uns bei Daniel trafen, und sich die Leute, die weiter weg wohnten als ich, auf den Weg machten, wurde ich nervös. Sehr penibel sorgte ich dafür, daß ich nicht allein mit ihm zurückblieb, sondern mit dem Letzten wegging. Ich sagte nein, die paarmal, als er mich anrief und fragte, ob ich Lust hätte, irgendwo etwas trinken zu gehen. Nein, keine Männergeschichten mehr, und damit auch keine Situationen wie zusammen ausgehen, die zu Mißverständnissen führen könnten. Nicht mehr. Mein Leben war gut so, meine Beziehung zu Martha stabil und ruhig. Meine Freundinnen – mein Auffangnetz – füllten meine freie Zeit. Sie unterstützten mich bei meiner Arbeit. Nein, keine Männer mehr. Ich nahm die Signale nicht mehr wahr, keine Flirterei, keine Doppeldeutigkeiten, keine großstädtischen, ironischen Plaudereien mit Herren wie früher.

Und außerdem, dachte ich, hat er doch schon zwei Damen, und ich mache das nicht mehr mit, für ein lockeres Verhältnis bin ich mir zu schade, und wenn es mehr wird, wird es garantiert ein Drama. Ich kenne das. Dachte ich das? Dann war ich anscheinend mehr mit ihm beschäftigt, als ich es selbst begriff.

Daniel ist mein Geliebter. Daniel ist mein Freund – im klassischen Sinn des Wortes, Daniel ist mein Typ, sage ich zu den anderen, wenn ich nicht möchte, daß sie wissen, wie wichtig er für mich ist. Daniel ist meine Liebe.

Ich erinnere mich noch an das Treffen, wo ich ihm zum erstenmal begegnet bin, jedenfalls habe ich ihn dort zum erstenmal bewußt wahrgenommen. Er selbst behauptet nämlich, daß er sich vorher schon einmal mit mir in einer Kneipe unterhalten habe, aber das muß die Zeit gewesen sein, als ich durch Männer hindurchsah. Damals also fing er an, sich mit mir zu unterhalten, auf eine Art, die mich sofort auf die Palme brachte. Weißt du, was ihr machen müßt, sagte er, ihr, die Frauenbewegung, ihr müßt eine Frauengewerkschaft gründen. Ich war zu verblüfft, um ihm zu erklären, daß ich es strategisch gesehen sinnvoller finde, innerhalb der bestehenden Gewerkschaften mit Frauengruppen zu arbeiten, weil man dort letztendlich doch die Verhandlungen führen muß. Was ich wirklich geantwortet habe, weiß ich nicht mehr. Was macht der denn hier, flüsterte ich einer anderen Redaktionskollegin zu, wer hat ihn eingeladen? Und dachte: was ist das für ein Kerl, der ankommt und mir, *mir* erklären will, was die Frauenbewegung zu tun hat?

Nach zwei Jahren Versammlungen hatte ich beschlossen, daß du ein Freund von mir sein könntest. Einfach ein Freund. Ich fand dich nett. Ich merkte, daß die Ratschläge, die du verteilst, wirklich Ratschläge waren, einzelne Gedanken, die du großzügig weitergabst, nicht als Vorschriften gedacht und sicher nicht als verkappte Kritik. Ich sah, wie du mit anderen Männern umgingst, wie du sie beim Hereinkommen küßtest, eine selbstverständliche körperliche Nähe, mit Männern, mit Frauen. Ich traf dich auf dem Festival of Fools, ich mit Martha, du mit deinen Söhnen und mit Dorian. Das sind meine Kinder, sagtest du, der Große dort und der Kleinere. Und das ist Dorian. Sie sprangen gerade auf einem Plastikungeheuer von Trampolin herum. Ich verlor dich wieder aus den Augen, als du deinen Söhnen hinterhergingst und beinahe von diesem Ding heruntergefallen wärst. Dorian war mir gegenüber etwas bissig. Ich vermutete nichts dahinter. Damals noch nicht. Viele Frauen sind bissig zu mir, ohne daß ich genau weiß, warum; wegen etwas, das ich geschrieben habe, wegen etwas, was ich getan habe, als Feministin, ich habe mich daran gewöhnt. Aber Dorian war schlauer als ich, sie sah schon, was los war, bevor ich es selbst wahrhaben wollte.

Ich finde ihn nett, sagte ich zu Martha, ist es nicht schön, daß es auch Männer gibt, mit denen du befreundet sein kannst, ohne daß sie sofort mit dir bumsen wollen?

Ich beschloß, nicht mehr ganz so mißtrauisch zu sein.

5

Einmal, als wir mit dem Rest der Redaktion auf dem Weg zum Italiener waren, zogst du mich beiseite. Hand in Hand standen wir vor dem Gitter der Hollandse Schouwburg, auf dem Platz, auf dem die Juden zusammengetrieben wurden. Wir blickten nach innen, auf den leeren Platz, den Rasen, die Blumen. Du erzählst von deiner Familie und von deinen Erinnerungen an den Krieg. Es ist der Augenblick, in dem ich begreife, daß du zehn Jahre älter bist als ich, und was das bedeutet.

Ich habe keine bewußten Erinnerungen an den Krieg. Wohl Alpträume. Viele Alpträume, als ich jung war, von marschierenden, uniformierten Männern ohne Kopf, die trampelnd die Treppe heraufkamen, um mich abzuholen. Moffen. Nazis. Aber ich kenne die Geschichte meiner Familie erst seit kurzem und nur in Bruchstücken.

Schau, sage ich zu Daniel, noch immer Hand in Hand, jetzt mit dem Rücken zur Hollandse Schouwburg, dort drüben auf der anderen Seite war das Waisenhaus, und im Krieg liefen dort auf einmal ein paar jüdische Kinder herum, die sie aus Versehen hiergelassen hatten. Ein Student nahm sie mit und versteckte sie bei seiner Mutter in Utrecht. Mein Onkel. Meine Großmutter. Daraus ist dort damals eine Organisation entstanden. Meine Mutter war eine der Frauen, die die Kinder von Adresse zu Adresse brachten, manchmal mit dem Zug. Auf dem Boden bei meinem Onkel hockten immer ein paar Kinder, die sich versteckten, manchmal sogar gleich zehn. Ich wurde in diesem Haus geboren. Damals war mein Vater untergetaucht, weil sie ihn zum Arbeitseinsatz holen wollten, und meine Mutter mußte mit dem Wegbringen der Kinder aufhören, weil ihr Gesicht zu bekannt geworden war und sie sie suchten. Sie war damals mit mir schwanger. Dreizehnmal gab es eine Hausdurchsuchung, hat sie gesagt, als ich die Geschichte zum erstenmal hörte und mehr darüber wissen wollte. Ihr wolltet doch nie etwas über den Krieg hören, sagte sie.

Ich schaue Daniel an. Ich habe das noch niemandem erzählt, außer Hilde, meiner Therapeutin. Es wirkt so übertrieben, zu behaupten, daß auch ich etwas vom Krieg mitbekommen habe. Ich wurde im letzten Winter geboren. Leuten, die den Krieg nicht mitgemacht haben, erzähle ich es nicht. Aber auch nicht denen, die ihn mitgemacht haben und es so viel schlimmer hatten als wir. Die Väter und Mütter hatten, die nicht zurückgekommen sind, Geschwister, die sie kaum gekannt haben. Aus meiner Familie ist niemand umgekommen. Aber seltsam ist es, nicht? Daß alle meine früheren Alpträume von Männern handelten, die mich holen kamen, während ich nicht einmal wußte, was Moffen waren. Ich habe sie nie gesehen. Dennoch höre ich das Stiefelgetrampel auf der Treppe. Einmal, als ich mit Hilde an meinen alten Verlassensängsten arbeitete, als ich ihr gegenüber saß und die Tränen langsam meine Wangen hinunterliefen, sagte sie intuitiv, du brauchst dich nicht mehr so zusammenzunehmen, schrei ruhig. Du bist nicht mehr untergetaucht. Und von tief, tief unten kommt ein langanhaltender Angstschrei, der mich frieren läßt, und ich fange an zu beben. Ich klammerte mich an sie, zitternd, während sie mir sagte, sie kommen dich nicht mehr holen. Es ist vorbei. Findest du das nicht seltsam, frage ich Daniel. Aber Daniel findet vieles nicht verrückt. Ich frage mich manchmal, was wohl mit mir passiert wäre, wenn sie meine Mutter geschnappt hätten, sage ich. Erschossen sie damals noch Leute, die in der Illegalität saßen? Oder hätten sie sie nach Buchenwald gebracht, wie die Männer, die einer Untergrundorganisation angehörten? Oder hätten sie das nicht getan, weil sie eine Frau war und schwanger? Was wäre wohl mit mir geschehen, wenn ich dort geboren worden wäre? Kommt es daher, daß ich das Gefühl nicht loswerde, daß es Zufall ist, daß ich lebe, daß mein Leben haarscharf am Rande eines Abgrunds aufgebaut ist?

Daniel nickt. Ihm brauche ich nichts zu erzählen, über das Fehlen des Gefühls, ein Recht zu leben zu haben, das andere Menschen durchaus zu haben scheinen. Er hat aus der Geschichte gelernt, daß man sich auf nichts verlassen kann. Morgen kann es vorbei sein. Wir werden es damit noch schwer haben, später, wenn wir uns darüber streiten, wie mühsam alles ist, mit Dorian und Martha und mit ihm und mir. Wenn es dir nicht paßt, sagt er, kannst du es immer noch lassen. Ich höre es als Gleichgültigkeit, nur so eine Bemerkung, und erst später, als ich ihn besser kenne, begreife ich, daß es ihm noch schwerer fällt als mir, jemandem vertrauen zu können, zu glauben, daß ich nicht bei der erstbesten Gelegenheit meine Siebensachen packe und wieder verschwunden bin.

Ich erzähle Daniel von meinem Onkel, bei dem wir wohnten, als ich klein war. Er war Student gewesen, hatte die jüdischen Kinder herumlaufen sehen und sie zu meiner Mutter gebracht. Aber auch davon wußte ich nichts als Kind. Ich hatte Schwierigkeiten mit dem Essen, damals, es gab fast nichts, was mir schmeckte. Einmal stand ein Becher Milch vor mir, die mir zu sauer war, und mein Onkel fand, daß ich nicht quengeln sollte und ihn austrinken müßte. Ich weigerte mich, trotzig, und auf einmal lief er vor Wut rot an und gab mir einen Klaps. Konnte ich damals wissen, was es im Krieg für Menschen, die nichts zu essen hatten bedeutete, wenn sie sahen, daß jemand einen Becher Milch wegschüttete. Aber mein Onkel war niemand, der sich entschuldigte. Er machte es anders. Setzte mich hinten auf sein Fahrrad, wo ich mich bockig und trotzig zu weinen weigerte, und fuhr mit mir in die Dünen. Und dort erzählte er mir eine Geschichte, die ich nicht verstand und von der mir nur noch Bruchstücke in Erinnerung sind. Er erzählte sie mir, ohne mich anzusehen, und redete dabei über meinen Kopf hinweg, als ob ich kein Kind sei. Wie sie ihn gefaßt hätten, und er eingeschlossen in einer Zelle saß, allein, und sich ganz sicher war, daß sie ihn nun erschießen würden. Und plötzlich, wurde er lauter und fiel ins Deutsche, was mich erschreckte, als er mir vormachte, wie seine Bewacher ihn anschrien. Los, Mensch, hopp, hopp. Dann brach er ab, genauso plötzlich wie er begonnen hatte und starrte über die Dünen, noch immer ohne mich anzusehen. Er setzte mich wieder hinten aufs Fahrrad, und genauso schweigend fuhr er wieder zurück. Über den Becher Milch wurde nie mehr ein Wort verloren.

Wo warst du damals, als ich geboren wurde, frage ich Daniel, während wir weitergehen. Wir haben einander immer noch nicht losgelassen.

Untergebracht auf dem Land, bei Bauern, erzählt Daniel, als Halbjude konnte ich noch einfach draußen spielen, ich stand erst auf der Liste für 1946. Aber meinen Vater wollten sie unbedingt haben. Bevor ich aufs Land gebracht wurde, half ich mit, holte mit einer Schaufel und einem Jutesack Kohlen vom Rangierbahnhof. Einmal kam mir mein Vater entgegen, in seiner schwarzen Jacke, ohne Judenstern, um Kartoffeln von einem Zug zu klauen. Ich war ungeheuer stolz auf ihn, daß er sich das traute. Es wurde damals viel geschossen.

Als meine Mutter auch untertauchte, mit ihm zusammen, haben sie mich weggebracht. Es hatte damals fürchterlich geschneit, und der Schnee war so hoch, daß ich kaum darüber weggucken konnte. Granatsplitter zu sammeln war eines meiner Hobbies, und Patronenhülsen. Wir steckten gleich neben dem Overijsel-Kanal, wo die Transportschiffe lagen. Oft gingen die überfliegenden Spitfire zum Tiefflug herunter, um die Schiffe unter Feuer zu nehmen, die Schule lag nahe der Feuerlinie, dort durfte ich nicht mehr hin. Aber auch der Bauernhof war nicht weit davon entfernt. Manchmal, wenn über unseren Köpfen geschossen wurde, mußte ich mich an die Wand stellen. Das erste, was ich meinen Söhnen beigebracht habe, ist Schießen. Ich will nicht, daß sie wehrlos sind, so wehrlos wie all die Menschen, die sie abgeholt haben.

Hast du dich nicht verlassen gefühlt, da in Overijsel, frage ich. – Ich vermißte meinen Vater schon sehr. Aber ich war auch stolz auf ihn. Die Ecke, in der ich saß, wurde eher als Amsterdam befreit. Ich saß da und wartete, bis er mich holen kam. Ich muß damals ein komischer Knirps gewesen sein, ich sprach das Amsterdamer Platt des indischen Viertels und den Dialekt von Overijsel durcheinander. Dann sah ich eines Tages meinen Vater den Weg heraufkommen. Ohne Judenstern. Ich lief ihm entgegen und fragte, bist du mein Vater? 30 Jahre später habe ich erfahren, daß ihn das fürchterlich verletzt hat, aber ich wollte nur wissen, ob es nicht sein Zwillingsbruder war, sie waren schon häufiger verwechselt worden.

Ich sehe ihn laufen, einen kleinen Daniel, einen kleinen Juden in Holzschuhen.

Und weißt du, was die Ironie an der ganzen Sache ist, erzählt er mir, daß mein Vater sich schon vor dem Krieg bei der Jüdischen Gemeinde von der Mitgliederliste hat streichen lassen. Er war Sozialist, kein gläubiger Jude. Aber von den Leuten, die austraten, haben sie einfach eine andere Liste gemacht, und die ist – mit der offiziellen Liste – den Deutschen übergeben worden. So wußten sie genau, wer Jude war. Wegen unserer verdammten Angewohnheit, alles zu registrieren. Bei der letzten Volkszählung brauchten Juden nicht mitzumachen. Ich dachte, wenn ich nicht mitmache, komme ich damit nur auf eine andere Liste. Er lacht. Bitter. Deshalb halte ich nichts von Listen, nichts vom Registrieren, deshalb werde ich nie in irgendeine Organisation eintreten. Wenn mein Vater sich an die Regeln gehalten hätte, wäre er tot gewesen. Einmal später, als wir im Marais, dem Judenviertel von Paris, durch die Rue des Rosiers gehen und in einem der Läden voller Spiegel etwas einkaufen, ein kleines Glas Meerrettich und ein Paket Matzemehl, mit dem das jüdische Passahbrot gebacken wird, und Daniel mit einem Bon von der einen Ladentheke zur Kasse geht und wieder zurück, wo ein Mann gewissenhaft etwas in ein Buch schreibt, sehe ich, daß Daniel sein Päckchen ergreift, den Bon liegen läßt und, ohne sich nach mir umzusehen, hinausrennt. Erst am Ende der Straße habe ich ihn eingeholt. Ich sehe, daß er weiß ist und Schweiß auf seiner Stirn steht.

Mir wurde schlecht, sagt er. Hast du gesehen, wie sie wieder dabei waren, alles aufzuschreiben?

Nicht lange danach, als wir Hand in Hand vor der Hollandse Schouwburg standen, wurde Daniel mein Geliebter.

6

Wir richten uns langsam häuslich ein in Rapallo. Unser Tempo hat sich dem Klima angepaßt. David, noch immer nicht überglücklich, hat seine eigene Art gefunden, den Tag zu überstehen. Ab und zu macht er sich allein mit Daniel auf den Weg. Ab und zu geht er mit mir, wenn ich große Fleischtomaten aussuche oder an den Melonen rieche, ob sie schon reif sind; bei den toten Tintenfischen sagt er pfui Teufel und hält mir, als ich eine Flasche Wein aussuche, einen seiner Vorträge über den Zusammenhang zwischen Alkoholverbrauch und Lebenserwartung. Aber er trägt die Einkäufe. Und ißt, was ich koche. Lecker, sagt er sogar, nachdem ich die Tintenfische in neutral aussehende Ringe ohne Augen und Tentakel verwandelt habe. Und er hat nichts dagegen, wenn Daniel und ich uns noch kurz auf ein Stündchen auf eine Caféterrasse setzen und auf das Mittelmeer schauen. Zwischen den alten Leuten. Ich sehe Daniel an. Er hat eine phantastische Farbe, sein Gesicht ist schon lange nicht mehr so grau und zerknittert wie bei unserer Ankunft. Weißt du, was seltsam ist, sage ich zu ihm, daß ich anfange mich auf meine alten Tage zu freuen. Ich habe noch nie in diesen Begriffen gedacht, daß ich es schön finden würde, zusammen alt zu werden. Diese Art zu leben, das ist lange auszuhalten. Habe ich dir schon gesagt, wie glücklich ich mit dir bin, Daniel?

Gestern zum letztenmal, sagt Daniel.

Weißt du noch, wie es begann, Liebster?

Es war ein ganz normaler Montagabend, Redaktionsversammlung. Du fragtest mich, ob ich noch einen Moment Zeit hätte. Und du hattest dafür auch eine phantastische Ausrede parat; denn du hattest mir noch nicht von dem jüdischen Workshop erzählt, zu dem du auf mein Anraten hin gegangen warst, ein Wochenende, wo du viele andere Leute trafst, die auch einen jüdischen Elternteil hatten, viele Leute, die selbst kaum noch eine direkte Beziehung zum orthodoxen Judentum hatten und deshalb herausfinden wollten, was es für sie noch bedeutete, jüdisch zu sein. Natürlich wollte ich das hören. Natürlich hielt ich deine Hand. Selbstverständlich saßen wir nicht weit auseinander, sondern eng beisammen auf dem Sofa. Du schenktest mir Wein nach. Nur ein halbes Glas, sagte ich, in der Absicht, nicht lange zu bleiben. Und später noch einmal: ein halbes. Und wir hörten nicht auf zu reden.

Du sitzt so nahe neben mir, daß ich dich riechen kann. Gefährlich, denn ich bin jemand, der sich auf den ersten Geruch hin verliebt. Ich fange an, mir bewußt zu werden, daß du einen Körper hast. Sicher, ich kannte deine grünen Augen hinter den Brillengläsern, manchmal spöttisch, manchmal zynisch, manchmal müde, düster und nach innen gekehrt, aber meist warm. Ich kenne die grauen Locken an deinen Schläfen, deinen kahlen Scheitel. Ich wußte, daß du kaum größer bist als ich, von den Malen, als du neben mir gingst – und wir uns unsere Leidenschaft fürs Essen gestanden und die Mühe, die wir haben, unsere Körper in angemessenen Grenzen zu halten.

Bei jedem Stück Haut, das im Sommer zum Vorschein kam, durch hochgekrempelte Ärmel und offenstehende Hemden, sah ich Haare, dunkle Haare, graue Haare, und es fiel mir auf, daß mich das überhaupt nicht abstieß, obwohl ich jahrelang an glatte Frauenhaut gewöhnt war. Und, o Mann, jetzt, da du mir so nahe bist, duftest du so gut, frisch, eine Mischung aus Gras und Baumwolle, mit etwas Brünstigem darunter: ein leichter warmer Tiergeruch. Ich habe auch überhaupt nichts dagegen, daß du noch näher kommst, schlage auch das dritte halbe Glas Wein nicht aus, und höre mit Vergnügen, was du jetzt sagst: Ich finde dich sehr attraktiv. Ich glaube, ich werde verführt, steigt als Gedanke in mir auf, zusammen mit den Seifenblasen purer Lust, die zerplatzen und mich zum Lachen bringen. Wie lange ist es her, daß ein Mann sich traute, mir so etwas zu sagen. Während ich da sitze und erst einmal versuche, deine Bemerkung zu verarbeiten, hast du die letzten Zentimeter, die zwischen uns liegen, auch noch überbrückt. Und, oh, der himmlische Geschmack deiner Lippen, die himmlische Spannung von Haut auf Haut. Aus welchem tollen Zeug haben sie dich bloß gemacht, sage ich später zu dir, obwohl objektiv gesehen deine Haut aus demselben Material besteht wie so viele andere Häute, dieselbe Temperatur, dieselbe Menge an Fett und Wasser.

Ich bin rettungslos verloren. Ich richte mich noch einmal mühsam auf, und sofort läßt du mich los. Noch einen Augenblick, nur einen Augenblick will ich darüber nachdenken, was ich tue. Denn es gibt eine Sache, die ich mir vorgenommen habe, ich begebe mich nie wieder in Situationen, die mir am nächsten Tag leid tun, und ich habe auch keine Lust, etwas zu tun, das ich nachher nicht Martha erzählen mag. Altmodisch, vielleicht, aber ich habe zu viele Lügen, Unklarheiten und Doppeldeutigkeiten erlebt, ich habe dazu einfach keine Lust mehr. Alles, was ich heute noch mache, will ich mit offenen Augen tun. Wenn ich jetzt aufhöre, ist «nichts» passiert. Es hat keine Penetration stattgefunden. Aber ach, was für ein Unsinn. Alte Definitionen von Untreue. War es nicht längst geschehen, als wir Hand in Hand vor der Hollandse Schouwburg standen und uns das Waisenhaus anschauten? Ist es nicht längst geschehen, weil ich es will? Möchtest du, daß ich dich nach Hause bringe, fragst du. Du betrachtest mein Gesicht und versuchst mein Zögern zu interpretieren. Du meinst es so, und du sagst es freundlich, du bist niemand, der einen drängt, niemand, der anfängt mich zu beschimpfen, daß ich es schließlich herausgefordert hätte und es nun nur nicht zu Ende bringen wollte. Doch, das habe ich schon mal erlebt.

Nein, sage ich, ich will nicht nach Hause, aber ich denke kurz nach, über Martha. Du kannst auch nur hier schlafen, wir brauchen nicht zu vögeln, sagst du. Ich glaube dir, aber das Problem ist überhaupt nicht, daß ich keine Lust hätte oder dir nicht vertrauen würde. Das Problem ist, daß ich mich selbst zu gut kenne, das Wühlen in meinem Bauch, das große Gefühl, das sich nun schnell in mir breit macht. Aber es sind nur ein paar Minuten, die ich zögere und darüber nachdenke, ob ich weiß, was ich tue.

Komm, sage ich, komm, bei welchen Knöpfen und Reißverschlüssen waren wir stehengeblieben, und die Seifenblasen der Lust beginnen wieder aufzusteigen und zu zerplatzen, als ich deinen letzten Knopf auffummele und immer mehr Haut zum Vorschein kommt, ein riesiger Lustgarten an Haut und voller himmlischer Gerüche. Komm, sage ich, hier auf dem Sofa ist es zu eng, und wir ziehen um, aufs Bett, die letzten Kleidungsstücke hängen uns um die Knöchel herum, die grauen Katzen flüchten vom Bett, als sie uns kommen sehen, wir strecken uns aus und dann bist du da, ganz.

Ein letzter Gedanke kommt mir noch in den Sinn, bevor ich aufhöre zu denken: Daniel, sage ich, es klingt vielleicht etwas seltsam in unserem Alter, ich habe ungeheure Lust zu vögeln, aber ich habe in all den Jahren nie mehr daran gedacht, daß ich noch schwanger werden könnte. Wir müssen ein bißchen aufpassen.

Gut, sagst du.

Und dann höre ich auf zu denken und es ist nur noch Wonne da. Mein Herz klopft wie verrückt, und ja sage ich, ja, ich will, ja.

Du liegst neben mir und schläfst, mit Zärtlichkeit habe ich beobachtet, daß du beim Einschlafen leise schnarchst, nun bist du still. Ich liege an deinem Rücken, meine Arme um dich geschlungen, meine Nase an eine Stelle zwischen deinen Schulterblättern gedrückt, großes liebes schlafendes Tier. Ich spüre deine Atmung und dein Blut pochen. Wenn du nicht hier schlafen willst, bringe ich dich gern nach Hause, hast du danach gesagt, aber ich will überhaupt nicht weg, ich habe noch überhaupt nicht genug von dir, jetzt nicht und in den kommenden Jahren nicht, aber die kommenden Jahre sind noch nicht an der Reihe. Die Mücken über uns summen. Nur ab und zu, wenn sie einen neuen Angriff starten, sind sie still. Ich hatte sie vergessen, während wir uns liebten, aber wenn es hell wird, werde ich sehen, daß ich total zerstochen bin, auch an indiskreten Stellen. Ich schmecke ihnen besser als du, das ist deutlich. Ich schlafe nicht. Ich genieße dich, ich schnuppere an dir, die Hitze, die von deinem schlafenden Körper ausgeht, ist wohltuend. Das erste graue Morgenlicht zieht hinter den gestreiften Vorhängen herauf, und dann wärmer, rosa und gelb, die Sonne, ein Sommermorgen im Juni beginnt.

Ich schaue dich an, dein Gesicht ist entspannt, nackter als mit Brille. Ich habe dich sorgenvoll gesehen, und werde dich noch sorgenvoller erleben, aber jetzt ist die Haut auf deiner Stirn glatt. Sonderbare Gedanken kommen mir in den Sinn, während ich dich anschaue, Gedanken, die ich sofort zensieren würde, wären nicht alle Hemmungen durch diesen Ausbruch von Erotik und durch den Schlafmangel wie weggewischt. Das kann ich überhaupt keinem Menschen erzählen, denke ich gleichzeitig, als ich die Gefühle, die in mir aufsteigen, entschlüssele, so was kann man doch gar nicht denken, wenn man ein einziges Mal mit jemandem geschlafen hat, du bist wohl verrückt. Der eine Gedanke ist, daß ich nicht möchte, daß jemand diesem Körper, den ich jetzt neben mir spüre, weh tut. Es ist ein animalisches Gefühl, als ob ich mein Junges vor Gefahr beschützen müßte. Nein, denke ich, ich will nicht, daß diesem Körper ein Leid getan wird, nicht solange ich da bin. Und der andere Gedanke, ebenso sonderbar, ich will dabei sein, wenn du stirbst.

Es sind Gefühle noch ohne irgendeinen Gedanken an die Konsequenzen, ohne einen Gedanken an die Spannungen und Probleme, die noch kommen werden. Ich erkenne die Gesetze noch nicht, nicht die praktischen Hindernisse, zwischen diesem Traum und der Wirklichkeit. Ich denke nicht an Dorian und nicht an Martha.

Es ist mir auch noch völlig egal, ob du mich noch willst, nach dieser Nacht. Du drehst dich um und öffnest die Augen.

Guten Morgen, sagst du, hast du gut geschlafen?

Der Test ist immer der nächste Morgen. Sind wir verlegen, unbeholfen? Willst du mich loswerden, soll ich so schnell wie möglich verschwinden? Nein. Es geht alles wie von selbst. Wir teilen das Badezimmer, ich seife dich unter der Dusche ein, und stehe, als du pinkelst, interessiert hinter dir, um dir beim Abschütteln des letzten Tröpfchens zu helfen, wie ich das früher bei meinem Sohn gemacht habe. Laß das, sagst du, so wird daraus doch nichts, nein, so geht es überhaupt nicht, und wir lachen, unbeschwert, als ob wir schon seit Jahren ein Badezimmer teilten.

Wir kennen unsere Gewohnheiten noch nicht. Du fragst mich, was ich zum Frühstück essen möchte, und du kochst ein Ei für mich und preßt Apfelsinen aus. Ich schaue mich in deinem Zimmer um, das nun so anders aussieht. Anders, weil ich den Raum nur als Versammlungsraum kenne, ohne den im Sonnenlicht tanzenden Staub, anders, weil die Wände jetzt andere Gefühle beherbergen als früher.

Wie lange hattest du schon vor, mich zu verführen, frage ich, als du mir gegenüber sitzt und mir Tee einschenkst. Du siehst mich etwas einfältig und ein bißchen wie ertappt an. Na ja, zögerst du, ich fand dich schon eine ganze Zeit lang toll. Stört dich das, ich habe doch nichts erzwungen? Nein, es macht mir nichts aus, aber ich finde es witzig, wenn ich daran zurückdenke und sehe, daß du ganz genau die klassischen Gesten gemacht hast, wie Wein einschenken, auf dem Sofa näher an mich heranrücken. Ich kenne das nicht so gut, denn fast immer war ich diejenige, die die Initiative ergriff, und jahrelang hat sich niemand getraut, so mit mir umzugehen. Oder doch, und ich habe die zögernden Versuche einfach nicht wahrgenommen? Gott sei Dank nur, sage ich, denn wenn du auf mich gewartet hättest, hätte es noch bis zum Sanktnimmerleinstag dauern können. Ich kam einfach nicht auf die Idee.

Wir müssen zur Arbeit. Wir gehen die Treppe hinunter. Und du sagst: du, wir können auch einfach Freunde bleiben. Gut, sage ich, und denke noch nicht weiter darüber nach, in dem warmen Rausch reinen Glücks, das keinen Raum läßt für Überlegungen, wie es nun weitergehen soll und ob es überhaupt weitergehen soll und ob es wohl weitergehen kann.

  Gut, sage ich, und wir verabreden nichts miteinander, als ich dir an der Ecke, wo sich unsere Wege trennen, den letzten Kuß gebe. Und erst später denke ich darüber nach, was du sagtest, was du mit dem Satz wohl meintest, wir könnten auch einfach Freunde bleiben, ist es meine Freiheit, die du mir läßt, oder deine, um die du dich sorgst, ist es Dorian, an die du denkst? Ist es eine Warnung?

Der Rausch hält an, an diesem Tag und die nächsten Tage. Ich schwebe 10 Zentimeter über dem Boden, ich empfinde die Sonne auf meinem Gesicht wie eine Liebkosung, meine Möse ist warm und schnurrt wie eine Katze. Meine Wangen fühlen sich wund gescheuert an, ich bin nicht mehr an Wesen gewöhnt, die sich rasieren müssen, und auch das etwas zerquetschte Gefühl um meine Schenkel herum ist mir teuer, es erinnert mich an deinen härteren und eckigeren Körper. Während einer Mitarbeiterversammlung ist das träumerische Lächeln nicht mehr von meinem Gesicht wegzubekommen, und ich merke, daß mich die Kollegen befremdet ansehen und mich fragen, was ich von dem Programm für die Studenten halte, von den Exkursionen. Was, ja, ja, sage ich, es scheint mir ein ausgezeichnetes Programm zu sein, und versuche meine Mundwinkel in eine der Situation angemessene Stellung zu bringen. An diesem Nachmittag begraben wir den Chef der Kantine, der an Krebs gestorben ist. Ein freundlicher, häßlicher Mann, ich mochte ihn, ein netter Sexist, der einzige, der sich mir gegenüber in Klischees ergehen durfte. Wenn ich Kaffee holte, sagte er, für eine schöne Frau tue ich doch alles. Ich weine bei seiner Beerdigung. Alle Gefühle sind da, ich kann um das Grab eines Kindes weinen, das ich sehe, ich weine, als wir an den zerbrochenen Spiegeln des Auschwitz-Denkmals vorbeikommen und ich schon wieder an Daniels Körper denken muß. Nein, ich möchte nicht, daß sie diesem Körper etwas tun. Nicht solange ich lebe.

Als Daniel anruft, ein paar Tage später, bin ich beinahe erstaunt, als ob ich, voller Gedanken an ihn, in der Zwischenzeit vergessen hätte, daß es ihn wirklich gibt. Daniel, ja, Tag, nein, prima. Ein bißchen verwirrt.

Ich möchte dich wiedersehen, eigentlich, sagt Daniel.

Wollen wir uns treffen? Wir verabreden uns für ein paar Tage später, wenn ich bei Martha gewesen bin. Ich habe noch nicht die Gewohnheit, jede Stunde, die sich bietet, zu nutzen, und auch noch nicht jene Zeit, die wir zusammen haben, als kostbar und immer zu kurz zu betrachten, gestohlene Stunden, eingegrenzt von Verabredungen und Abmachungen, Martha,

Dorian. Und nun tauchen die ersten dunklen Gedanken auf, ängstliche Vorgefühle.

Du weißt doch, was du tust, nicht, fragt mein kluger Sohn, der mich etwas blaß und labil antrifft, nicht imstande, mich auf meine Arbeit zu konzentrieren. Ist er wirklich gut für dich, fragt er, als wäre er mein zukünftiger Schwiegervater und nicht mein Kind. Aber er hat mich erlebt, in meinen Krisen nach unglücklichen Lieben, er kennt mich länger und besser als irgend jemand sonst und hat es mir sofort angesehen: das ist ernst.

7

David will nicht mit. Geht ihr ruhig, sagt er, als wir ihm vor-
schlagen, das Boot nach San Fruttuoso zu nehmen und dort zu
Mittag zu essen. Es ist doch überall dasselbe, heiß. Und ihr
wollt auch immer dasselbe. In Cafés hocken. Lesen. In jedes
Museum rein. Laß mich mal lieber hier.

Wir gehen. Fahren an felsigen Küsten entlang, die kleinen
Strände voller Menschen, die in der Sonne braten, Villen auf
den Felsen, Yachten, die vor Anker liegen. San Fruttuoso ist
ein kleines Dorf, zwischen die Felsen geklemmt oder dort hin-
eingehauen. Es ist vom Land her kaum zu erreichen. Es gibt
keine Straße, der Weg vom Strand in das Dorf schlängelt sich
durch die Häuser hindurch an einem Kloster vorbei, ein dunk-
ler Gang, ein altes Grabgewölbe, dunkle und weiße Steine elegant übereinander gestapelt. Es ist ein bezaubernder Ort. Von
Touristen nicht kaputtzukriegen. Laß uns dort was essen, zeige
ich auf ein paar kleine Tische, die nahe am dunkeltürkisfarbe-
nen Wasser stehen, mit karierten Decken, umgedrehten Boo-
ten daneben, genauso wie es sein soll. Gut, sagt Daniel, aber er
klingt nicht sehr begeistert. Ich streichle ihm über eine Pobacke, aber er wirkt abwesend. Am Tisch meckert er, über den
Preis der paar Fische, die vor uns auf dem Teller liegen, über
die Qualität des Weins, für diesen Preis muß man eine Auslese
bekommen.

Ich schaue ihn an, was ist mit ihm, aber er hat sich in einen
langen Vortrag über Qualität und den Preis der Dinge geflüch-

tet. Meine Stimmung sinkt. Ich verfüttere meinen letzten Fisch an eine der vielen Katzen, die hier herumstromern.

Daniel redet weiter, über Service, über andere Reisen, die er gemacht hat. Vielleicht bin ich fürs Zelten zu alt und dafür, an Tischen zu essen, die wackeln, sagt er, von Dorian habe ich gelernt, wie man reisen kann. Dorian konnte das von Haus aus.

Ich bin still und verletzt. Warum sitzt du hier dann nicht mit Dorian, möchte ich sagen, aber halte meinen Mund. Warum haben wir dann gemeinsam diese Reise so organisiert, es war doch klar, daß wir augenblicklich nicht viel Geld haben, und daß wir, solange wir David dabei haben, nicht in Hotels können. Warum hast du dann nicht gesagt, was du willst. Aber ich sage nichts, ich bin jetzt zu deprimiert, um einen Streit anzufangen.

Ich habe Daniels gedrückte Stimmungen schon vorher miterlebt. Aber das war, bevor ich sie auf mich bezog, bevor ich das Gefühl hatte, daß wir über die Minenfelder unserer Vergangenheit laufen.

Deine Depressionen. Ich lernte sie kennen, als wir einander noch als normale Redaktionskollegen kannten. Wir stehen in der Küche, nach der Versammlung, die anderen sind weg. Beinahe schon an der Tür. Ich war mitgegangen, um sie hinter dir zu schließen. Du fragst, ob ich noch Cognac habe. Ich schenke dir ein in das Glas, das du noch in der Hand hast. Ich hole mein Glas, das zwischen den Kaffeetassen und den vergessenen Papieren der anderen Redaktionskollegen steht. Du lehnst an der Spüle. So werde ich dich später noch oft sehen, an die Spüle gelehnt, das Glas in der Hand, redend, redend, über Gedanken, die dir gekommen waren, über Sabina Spielrein, die eine Freundin von Jung war und ein Kind von ihm wollte, das sie Siegfried nennen wollte und das eigentlich auch ein Kind Freuds sein müßte. Ich kenne keinen anderen Mann, der solch ein Sabbelheini ist wie du, sage ich. Oder verzweifelter, über die Umstrukturierung der Universität, wie lange du dort wohl noch wirst arbeiten können, wie lange es wohl dauern wird, bevor auch du abgeschoben wirst, wie es Kollegen von dir schon passiert ist. Damals, in der Küche, warst du dabei, mein Freund zu werden, aber noch nicht mein Geliebter.

Ich habe das Licht nicht angemacht. Die Straßenlaterne scheint herein und das Licht der rosa und gelben Neonröhren des Cafés gegenüber. Du siehst müde aus. Deine Freundin hat dich gerade sitzenlassen, erzählst du. Eine deiner Freundinnen, und mit der anderen geht es auch nicht gut, im Augenblick. Die hat sich in eine andere Frau verliebt, na ja, so geht das heutzutage. An sich nicht so schlimm, sie hatte schon häufiger jemand anders nebenher, aber diesmal hatte sie es sich in den Kopf gesetzt, dir sofort den Laufpaß zu geben. Nein, es war nicht meine Idee, Schluß zu machen, sagst du, eher bestürzt als böse. Nicht meine Idee.

Wie machst du das, fragst du, woher holst du dir deine Unterstützung, du lebst doch auch allein?

Meine Freundinnen, sage ich, Martha, als fester Punkt in meinem Leben, eine Wochenendehe. Und die anderen, Heleen, mit der ich zusammen Artikel schreibe, Lori, mit der ich arbeite, Matti. Meine Therapeutin Hilde. Ein ganzes Netz, fast alle kennen sich auch untereinander, wenn die eine nicht da ist, dann sicher die andere; jede von ihnen könnte ich mitten in der Nacht anrufen, wenn ich Angst bekomme, weil ein Kerl versucht hat, durch mein Schlafzimmerfenster einzusteigen, oder wenn mich die Verzweiflung überfällt, unerwartet, aus einem kleinen Anlaß heraus. Und weil ich weiß, daß ich sie anrufen kann, brauche ich es nie zu tun. Arbeit und Freundschaft miteinander verbunden, ich kann mich auf die Treffen und Arbeitsgruppen freuen, weil es alles Frauen sind, die mich kennen, seit Jahren, vor denen ich keinen Schein aufrechterhalten muß und die es mir – bevor ich überhaupt etwas gesagt habe – schon ansehen, daß es mir nicht gutgeht. Die eine oder andere wird sicher noch abspringen oder dazukommen, sage ich, aber das sind Leute, mit denen ich alt werde, mit denen ich mich später im feministischen Altersheim darüber streiten kann, wie es früher wirklich war, früher in der Frauenbewegung, wenn die Mädchen von der Uni kommen und uns interviewen wollen. Schön für dich, sagt Daniel und erzählt, als sei es ein Witz, daß er letzte Woche gegen einen Pfeiler gefahren ist, Auto Schrott, er unversehrt. Vielleicht wäre es umgekehrt schlauer gewesen, sagt er, billiger. Später, später als du mein Geliebter bist, werde ich mir Sorgen machen, wenn du mit dem Auto unterwegs bist, und ich weiß, daß du müde oder angespannt bist. Eine tiefgründige Schicht von Verzweiflung, sorgsam von deinem Humor, von deiner Energie und deiner Fähigkeit, weiter zu funktionieren, im Zaum gehalten. Von deiner Freude am Geigespielen, am Essen, an deinen Plänen, nach New York zu gehen, nach Jerusalem und nach Maputu. Es ist nur ein kurzer Augenblick, daß du die Verzweiflung sehen läßt, in der Küche, jetzt mit dem leeren Cognacglas. Später, als du mein Geliebter bist, rührst du mit deiner gedrückten Stimmung an meine, steckst mich an, ungewollt, wie in San Fruttuoso, und jeder von uns sackt in seine eigene Vergangenheit, unerreichbar füreinander. Aber nun sagst du, komm, ich hau mal wieder ab, und du stellst das Glas auf die Spüle. Wenn ich damals einen Schritt auf dich zugemacht hätte, wenn ich dich festgehalten hätte, anstatt des flüchtigen Redaktionskollegenkusses auf die Wange, wäre es vielleicht anders gekommen.

Als Kind, wenn ich böse war auf die Welt und auf meinen blöden Vater, der mich aus dem Bett geholt hatte, damit ich mein Fahrrad hineinstelle, und auf meine blöde Mutter, die das zuließ, hellwach vor Wut in meinem noch warmen Bett, malte ich mir meine Beerdigung aus, wer kommen würde und wer wohl weinen würde. Schade, schade, daß ich nicht selber dabei sein könnte. Ich zählte die Freunde und Freundinnen. Viele Leute würden zu meiner Beerdigung kommen, wenn ich tot wäre. Ich hatte es erlebt, bei der Beerdigung von Hanna, einer anderen Feministin der ersten Stunde. Aber wieviel Freundinnen, wie viele Leute, auf die ich wirklich zählen konnte, wie viele Leute, die ich mitten in der Nacht anrufen würde?

Martha war gegangen und hatte eine derartige Litanei alter Vorwürfe hinterlassen, daß die Überlegung, daß wir auch so zumindest noch Freundinnen sein können, sich sehr schnell verflüchtigt hatte. Und alle Konflikte im Kollektiv hatten mich auch Freundinnen gekostet. Heleen, mit der ich so lange zusammengearbeitet hatte, und die jetzt jedesmal versuchte, mein Projekt zu verhindern, mit pseudo-objektiven Argumenten, hinter denen ich ihre Enttäuschung und Wut vermutete, darüber, daß ich diesmal ohne sie arbeiten will. Mit Heleen tausche ich Neuigkeiten aus, betont freundlich, aber nein, nicht mehr in dasselbe Altersheim. Und Lori schied durch meine Trennung von Martha aus. Bei allen Scheidungen verliert man Menschen, die es für nötig halten, Partei zu ergreifen. Aber Lori verlor ich, weil sie so betont keine Partei ergreifen wollte, mit mir nicht über Martha sprach und mit Martha nicht über mich. Vorsichtig, vorsichtig, Martha zu ihrem Geburtstag einlud, abends, und mich zum Kaffee da haben wollte, morgens mit Daniel, so betont locker, ohne dabei zu erzählen, wie lange sie nachgedacht hatte, bis sie auf diese Lösung gekommen war, so daß ich glaubte, daß es ihr nichts bedeutete und nicht kam. Lori erzählte ich nichts mehr über Daniel, nachdem sie mich einmal gewarnt hatte, mich ihm nicht zu sehr an den Hals zu werfen. Und als ich doch noch ein kleines Geschenk für sie mitnahm, weil wir uns zehn Jahre kannten, hatte sie es vergessen.

Die Frauenbewegung ist ein warmes Bett. Aber auch ein Eimer voller Krabben, die sich gegenseitig nach unten ziehen, wenn eine von ihnen zu fliehen versucht. Auch die Entscheidung, daß ich nicht mehr eine Feministin bin, die zufällig schreibt, sondern eine Schriftstellerin, die zufällig auch Feministin ist, hat mich Freundinnen gekostet. Ich bin nicht der Besitz der Bewegung. Ich bin niemandem Rechenschaft schuldig. Ich brauche nicht um Zustimmung zu betteln. Habe ich mich etwa aus einer Ehe befreit und von den patriarchalen Konventionen, um mir nun von neuem vorschreiben zu lassen, wie ich mich zu verhalten habe?

Die Rollen haben sich verkehrt. Nun kann ich Daniel fragen, nach einem Jahr der Trennungen, wie er das macht, mit seinen Freunden. Es sind Männer darunter, die er mag, seit Jahren. Freunde, sagt er, sind Menschen, zu denen man kommen kann, nachdem man sie ein Jahr lang nicht gesehen hat, spät am Abend, unangekündigt, und wenn sie die Tür aufmachen, sagen sie nicht: wo warst du denn die ganze Zeit, sondern: komm rein, wie schön, dich zu sehen.

Daniel hat jetzt gemerkt, daß ich still geworden bin und daß ich jetzt diejenige bin, die niedergeschlagen ist. Er versucht mich aufzuheitern, holt mir Eis, küßt mich auf den Hals. Aber so schnell läßt sich das Ungeheuer nicht besänftigen. Es ist nicht gut genug, was ich zu bieten habe, denke ich. Mit Dorian, die es gewohnt war, Hotels zu reservieren, die ausgezeichnet Auto fahren konnte, hatte er es anscheinend besser. Aber das sage ich nicht, ich schäme mich zu sehr für solche engherzigen Gedanken.

Wir sind verwirrt, alle beide. Als wir aus dem Boot gestiegen sind, irren wir eine halbe Stunde im Hafen umher, über enge Stege, an Pastaläden vorbei, auf der Suche nach dem Auto, das nicht da ist, bevor uns klar wird, daß wir nicht in Rapallo ausgestiegen sind, sondern in Santa Margherita. Wir suchen den richtigen Bus, und als wir schaukelnd nebeneinander im Bus die Küste entlangfahren, beginnt sich unsere Erstarrung zu lösen.

Bin ich wirklich so gedrückt, fragt Daniel. Das hat doch nichts mit dir zu tun. Ich spüre den Stress der vielen Arbeit, um alles bezahlen zu können, ich bin todmüde. Das ist doch normal. Ich finde es nervig, daß du im Augenblick alles bezahlen mußt. Ich mache mir Sorgen um David, der ist mir zu depressiv, es läuft in der Schule nicht gut. Und ich denke an meinen Kollegen, der jünger ist als ich und sich tot gearbeitet hat. Herzinfarkt. Ich möchte dir nicht immer zur Last fallen, mit meinen Sorgen, du machst schon so viel. Du brauchst das doch nicht auf dich zu beziehen, wenn ich wieder einmal nicht weiter weiß. Aber hörst du nicht, was du sagst, frage ich, wenn du von deinem Urlaub mit Dorian erzählst? Daß ich dann denke, daß du das schöner findest, als mit mir in einem Zelt. Weißt du, wie schwer das letzte Jahr für mich war, all die Spannungen, mit denen ich dich nicht belasten wollte, weil du schon alle Hände voll zu tun hattest mit Dorians Problemen, mit ihrer Überreiztheit. Ich dachte, wenn ich auch soviel Probleme mache, läßt du mich sitzen, immer diese Rücksicht auf Dorian, immer Angst, daß du es nicht mehr aushalten würdest und mich dann sausen lassen würdest.

Ich habe dich doch nicht sausen lassen, sagt Daniel.

8

Dorian. Als Dorian von Daniel erfuhr, daß er mit mir ein Verhältnis angefangen hatte, gefiel es ihr überhaupt nicht. Ich konnte mir das ausgezeichnet vorstellen. Natürlich war sie daran gewöhnt, daß er andere Freundinnen hatte, sie hat es nie anders erlebt. Nie schön gefunden, aber so waren die Abmachungen, und so sahen die Tatsachen nun einmal aus, und gab es nicht auch ihr die Freiheit und den Freiraum, den sie haben wollte?

Aber ein Verhältnis mit mir? Seine letzte Freundin war verheiratet, und damit waren die Grenzen bereits abgesteckt, es wurde zusammen gebumst, aber nicht die Nacht zusammen verbracht, und nie fuhr sie mit ihm in den Urlaub. Andere Frauen hatte es zwar auch gegeben, und manchmal hatten sie es einander nicht einmal erzählt, so wie Daniel auch damit gewartet hatte, Dorian von mir zu erzählen. Bis es ihm besser schien, es doch zu tun, bevor andere mit dieser Neuigkeit ankommen würden. Ich bin keine Frau, die man leicht verstecken kann, und hatte auch keine Lust, Daniel, wenn wir über die Straße gingen, loszulassen oder ihn absichtlich nicht zu berühren.

Dorian kannte ich vage. Ihren Namen kannte ich, ihr Gesicht tauchte irgendwo aus meinem Unterbewußtsein auf, saß sie nicht mal in derselben Arbeitsgruppe eines feministischen Seminars? Ich empfand ihr gegenüber nichts Besonderes, fand sie weder unnett noch gab es für mich irgendeinen Grund, sie besser kennenzulernen. Ich erkannte sie zwar, als Daniel sie mir zeigte, damals, als wir noch Freunde waren und kein Liebespaar, auf dem Festival of Fools, wo sie mit den Kindern herumsprang.

Das erste Mal, als ich sie sah, nachdem sie von Daniel erfahren hatte, daß er mit mir ein Verhältnis angefangen hat, und sie ihm antwortete: das scheint mir keine sehr gute Idee zu sein, war, als wir Hanna beerdigten.

Hanna war eine wichtige Feministin, eine, die ich von der ersten Stunde an kannte, als ich noch nicht wußte, ob ich es nun wirklich so toll finden sollte, so viele Frauen auf einem Haufen. Ein Jahr vor der Beerdigung wußte ich, daß sie sterben würde. Besuchte sie noch einmal, als sie schon im Bett lag, mit einer Perücke. Wir waren uns nie sehr nahe gewesen, politisch gesehen waren wir bei weitem nicht immer einer Meinung und auf die eine oder andere Art berührten sich unsere Kreise immer nur am Rande. Und obwohl wir alle beide sehr aktiv waren, und häufig zwischen allen möglichen Arbeitsgruppen, Demonstrationen und Aktionen hin und her pendelten, war es beinahe nie dieselbe Aktion, dieselbe Gruppe. Für mich war es ein Schock, als ich hörte, daß sie sterben würde, ich rechnete mit ihr, noch viele Jahre, um mich mit ihr streiten zu können.

Als ich sie besuchte, war sie dabei, alles für den Abschied zu regeln. Die Artikel, die sie noch schreiben wollte, die letzten Aufträge, die sie den Frauen noch mit auf den Weg geben wollte.

Ich scheute mich, sie zu besuchen und zerbrach mir den Kopf darüber, was ich ihr mitbringen sollte. Blumen? Wahrscheinlich sah es jetzt schon wie auf einem Friedhof bei ihr aus. Etwas zum Naschen? Sie aß kaum noch etwas, und an etwas Gesundes brauchte ich auch nicht mehr zu denken. Ein Buch?

Würde sie es noch zu Ende lesen? Den neuen Frauenkalender, obwohl sie das Jahr nicht mehr vollkriegen würde?

Hanna selbst war es, die es mir leicht machte, sie fing sofort an zu reden, über ihre Krankheit, über ihren Tod, darüber, was sie noch erledigen wollte, über ihre Mutter, die damit so viele Schwierigkeiten hatte, über ihre Kinder, und sie war sogar noch neugierig, wie es mir ging. Es war nie viel an ihr dran gewesen, aber jetzt war sie wirklich mager. Ein paar Tage, bevor es endgültig mit ihr zu Ende ging, bekam ich einen Brief, der anscheinend schon Monate vorher geschrieben worden war, getippt, mit einer zittrigen Unterschrift. Sie hatte einen Plan für ihre Beerdigung. Es war immer schon ihre Idee gewesen, alle Frauen der verschiedenen politischen Richtungen in einer Organisation zusammenzubringen. Ich hielt davon nicht viel, und das wußte sie, aber sie, politisches Tier bis zum letzten Atemzug, benutzte selbst ihre Beerdigung noch, um ihren Willen durchzusetzen. Ob ich als eine der sechs Frauen, die für die unterschiedlichen Strömungen in der Bewegung repräsentativ seien, ihren Sarg zum Grab tragen würde? Sie wog nicht mehr viel, das wüßte sie, aber Särge wären schwer, und auch daran hatte sie gedacht. Sie haben heute kleine Räder darunter, schrieb sie. Und ob ich sie wohl umgehend anrufen könnte, ob ich das für sie tun würde.

Ich raste und tobte vor Wut, wie konnte sie mich so unter Druck setzen, mir noch einen solchen Streich spielen, und ich weinte, weil ich mich jetzt nicht mehr mit ihr streiten konnte. Aber ich entschied mich, es zu tun und rief ihre Freundin an, die die Beerdigung regeln sollte, und bat sie, ob sie Hanna bitte sagen könnte, daß ich den Sarg tragen würde, daß ich sie liebte und daß ich sie sehr mutig fände.

Es ist gut, etwas zu tun, wenn jemand stirbt, der dir etwas bedeutet. Wir hielten den Sarg fest, der auf einen Karren gesetzt wurde. Hunderte von Menschen sind da. Alles ist perfekt geregelt, von Hanna selbst, bis hin zu der Frau, die das Auto steuert. Auch die Frau, die die Zeremonie anführt, hat sie selber ausgesucht. Dann heben wir den Sarg von der Karre in das Grab, es ist eine einfache Geste, und es tut gut, sich körperlich anstrengen zu müssen, sich zu bücken und den schweren Sarg ins Grab zu legen. Es ist still, als der Sarg heruntergelassen wird. Viele Leute weinen.

Als es vorbei ist, schaue ich mich um, auf der Suche nach Martha, die hier irgendwo stecken muß, und ich entdecke Dorian. Natürlich ist auch sie gekommen. Aber dann, als wir noch Kaffee bekommen, die Familie, die Frauen, die Hanna auch als ihre Familie ansah, *ihre* Bewegung, verliere ich Dorian wieder aus den Augen. Als ich Martha finde, ist Dorian schon verschwunden.

Ich werde sie gleich anrufen, sage ich zu Martha, die Dorian auch gesehen hat, ich finde es komisch, daß ich sie nicht einmal habe begrüßen können. Als ob ich vor ihr weglaufen wollte.

Als wir noch in einem Straßencafé an der Amstel sitzen, um noch einen Augenblick mit den anderen Frauen zusammen zu sein, die trotz der Hitze aussehen, als seien sie verschnupft, von der Kälte der Lücke, die jemand hinterläßt, sehe ich Dorian auf der anderen Seite sitzen, zwischen ihren Freundinnen. Ich gehe auf sie zu, aber auch sie ist schon aufgestanden, und etwas verlegen treffen wir uns auf halben Wege. Es gelingt mir nicht, Dorian zu hassen, wenn ich sie sehe.

Zwischen Frauen, die ein und denselben Mann lieben, besteht eine seltsame Verbindung, eine sehr zweideutige Verbindung. Früher sahen wir uns kaum an, aber jetzt, wo sind unsere Blicke voller Bedeutung, wenn sie sich treffen? Dieses ist das Gesicht, das er seit Jahren kennt, dies der Körper, mit dem er oft das Bett geteilt hat. Dorian ist etwas jünger als ich, dünner. Ich bin mir meines Alters bewußt, als ich sie ansehe. Ich hatte, solange ich mit Martha allein war, vergessen, darauf zu achten.

Dorians schmales Gesicht sieht müde aus, sorgenvoll. Vielleicht von der Beerdigung. Aber vielleicht auch durch mich. Wir stehen nebeneinander. Aber ob es Dorian war oder ich, die die erste Geste machte, weiß ich nicht mehr, jedenfalls merke ich plötzlich, daß wir einander festhalten, ihre kalte Hand in meiner. Wir reden irgend etwas, aber die Worte sind kaum von Bedeutung. Daß wir uns nun wirklich bald einmal treffen sollten. Ich ruf dich bestimmt an. Und dann flüchten wir beide, selig, ich zu Martha, sie zu ihren Freundinnen. Alle beobachten uns, denn sie wissen es natürlich alle längst, und jede hat ihre eigene Meinung darüber. Wir sind die Neuigkeiten, in diesem Dorf, in dem Hühnerstall der Bewegung.

9

Wir haben unseren Haushalt wieder im Auto verstaut und fahren weiter, nach Volterra. Ein neuer Campingplatz, hoch auf einem felsigen Landstück gelegen. Ohne lange darüber diskutieren zu müssen, packen wir unseren Haushalt wieder aus, suchen ein geeignetes Plätzchen für das Zelt, den Eingang in den Windschatten, den Blick auf das Tal, in dem Volterra liegt. Reichen einander die Heringe zu, den Hammer. Stellen den Sonnenschirm dort auf, wo David ihn haben möchte. Küchensachen unter den Olivenbaum. Bücher in einer Reihe in das Zelt. Innerhalb einer halben Stunde wohnen wir wieder. Schnell noch in den Laden auf dem Campingplatz, um Brot, Mozarella, Tomaten, Pfirsiche und eine kalte Flasche Spumanti zu holen.

Ich bin schläfrig. Dankbar, als David mich beim Spielen besiegt hat und ich ins Bett kann. Das vertraute, metallene Geräusch eines Hammers, mit dem Heringe in den harten Boden geschlagen werden. Nachzügler. Reißverschlüsse werden auf- und zugezogen, wenn Leute im Dunkeln zu den Waschräumen gehen, um sich die Zähne zu putzen und die Kinder noch mal pinkeln zu lassen. Ich rolle mich zufrieden an Daniels Rücken. Es ist hier nachts kühl genug, um eng aneinandergeschmiegt schlafen zu können. Im Nachbarszelt spielt ein junger Mann Gitarre und singt dazu mit dünner Stimme Lieder von Bob Dylan. Wie altmodisch. Gott, das ist auch schon beinahe zwanzig Jahre her. Vielleicht bin ich ja auch zu alt zum Zelten.

Nachts träume ich, daß ich Daniels Kinder gebäre. Ich träume immer, daß ich in den Wehen liege, wenn ich im Schlaf die Krämpfe der beginnenden Menstruation spüre. Meine Träume ignorieren die Tatsache, daß ich mich habe sterilisieren lassen. Martha begleitete mich, in dasselbe Krankenhaus, wo sie sich auch hatte sterilisieren lassen, Jahre vorher. Sie hielt meine Hand, als ich aus der Narkose wieder zu mir kam. Den anderen Frauen in dem Zimmer, die sich auch sterilisieren lassen hatten, fielen fast die Augen aus dem Kopf. Ich hörte sie denken: wofür läßt diese Person sich sterilisieren, wenn sie mit einer anderen Frau Händchen hält. Aber Gott sei Dank, als Daniel nachmittags zur Besuchszeit auftauchte, mit Blumen, paßte wieder alles in das vertraute Schema.

Daniel machte sich Sorgen, als ich mich sterilisieren ließ. Der Gedanke, daß sie meinen Bauch aufschneiden würden, behagte ihm nicht, und er war erleichtert, daß alles gutgegangen war. Wenn du noch ein bißchen wartest, hatte er gesagt, dann lasse ich mich sterilisieren, dann brauchst du das nicht zu machen. Aber ich trage die Verantwortung für meinen Körper lieber selbst und hatte den Wunsch, ein für allemal einen Strich unter diese Möglichkeit zu ziehen. Davon zu träumen, wie es wohl wäre, ein Kind von Daniel zu bekommen, war schön. Aber bloß nicht in die Tat umsetzen. Ich habe meine Prüfung bestanden, als Mutter eines zweiundzwanzigjährigen Sohnes, ich bin damit durch. Ich bedauere es auch überhaupt nicht, und müßte ich mich noch einmal entscheiden, würde ich es wieder so machen. Aber nein, nein, nicht noch eins. Ich genieße meine Freiheit. Und welch ein Segen, daß wir in diesem schwierigen Jahr, mit den ganzen Verwicklungen zwischen Dorian und Daniel, zwischen Martha und mir, zwischen Daniel und mir und allen unseren Versuchen, keinen unglücklich zu machen, zumindest keinen Hausstand auf- und keine Kinder verteilen mußten.

Sie schauten sich die Sache erst einmal aus der Entfernung an, mein Sohn und die beiden von Daniel fragten ab und zu höflich, was mit uns los sei, wenn wir bleich und zerknittert von zu wenig Schlaf und zu viel Gefühl beim Essen saßen. Beobachten interessiert, wer in welchem Bett schlief, aber enthielten sich eines Kommentars. Und David war, wenn Dorian anrief und ich bei Daniel war, ein Meister darin, die Sache diskret zu regeln. Aber man konnte ihnen ansehen, was sie dachten: mit diesen ganzen Scherereien, wie ihre Alten sie machten, wollten sie nichts zu tun haben.

Mein Bauch tut weh und ich fange an zu tropfen. Wir werfen das Programm für diesen Tag über den Haufen. Daniel zieht mit David los, ich bleibe im Zelt, um auszulaufen. Nachdem ich das Auto habe wegfahren hören, ist es warm und still.

Ich mache mir einen Espresso, suche ein Zigarillo, nehme mein Buch, ‹Freud and His Followers›. Freud hatte seine Sachen schon gut geregelt. Nicht nur seine Frau sorgte für ihn, auch ihre Schwester, und später seine Tochter, und dann gab es noch die üblichen Haushälterinnen und Köchinnen. Sogar seine Zahnpasta lag jeden Morgen schon fertig auf der Zahnbürste. Kein Wunder also, daß er seine Kinderpsychologie allein aus den Erzählungen seiner erwachsenen Patienten entwickelte. Um seine eigenen Kinder kümmerte er sich erst, als sie laufen konnten. So kommt man leicht zu seinen ‹Gesammelten Werken›.

Warum hast du nicht wieder geheiratet, frage ich Daniel, denn daß so viele Frauen nicht mehr heiraten wollen, verstehe ich gut, aber wäre es für ihn nicht viel leichter gewesen, wenn er eine Frau im Hintergrund gehabt hätte, die die banalen Notwendigkeiten des Alltags für ihn regelt? Es gibt sie doch noch, die Frauen, die das machen? Aber Daniel mag keine unterwürfigen Wesen in seiner Nähe, er mag Frauen mit Ehrgeiz. Der reinste Luxus ist es, wenn ich nach einem Tag harter Arbeit bei ihm auftauche und er das Essen fertig hat. Wir haben nicht die einfachste Form gewählt; das, was heutzutage eine LAT-Beziehung genannt wird (*living apart together*). Es gibt nicht viele Männer, die ihren eigenen Haushalt führen, zumindest nicht für lange Zeit. Und Daniel ist ein häuslicher Mann. Ich habe Fotos aus der Zeit gesehen, als er noch verheiratet war, und ich sehe ihn von Kindern umringt, von seinen eigenen, den Nachbarskindern und den Kindern von Freunden. Fuderweise Lebensmittel schleppte ich an, morgens standen sie um 7 Uhr neben meinem Bett, weil sie wieder Hunger hatten, sagt Daniel, und dann ging es den ganzen Tag so weiter. Riesentöpfe mit Makkaroni, Butterbrote, noch mehr Butterbrote. Ich fand es überhaupt nicht langweilig, den Haushalt zu machen. Aber nein, ich bin nie in die Versuchung gekommen, wieder zu heiraten. Nach der Scheidung habe ich auf Teufel komm raus geflirtet, und es hat mir viel Spaß gemacht, und Ite hätte ich nicht heiraten können, die war bereits verheiratet, und daß sie ihren Mann verlassen würde, das sah ich auch noch nicht. Es wäre auch keine so gute Idee gewesen, denke ich.

Nein, ich habe nicht das Gefühl, zu kurz gekommen zu sein. Einsamkeit, das schon, manchmal, mitten im Winter, als einziger in einer noch leeren Wohnung in einem noch leerstehenden Hochhaus in einem Neubauviertel, der Wind, der sich heulend im Beton fängt – das ist nicht zu empfehlen, wenn du lernen willst, selbständig zu leben. Aber diesem Masochismus habe ich abgeschworen. Ich leide nicht mehr zu meinem Vergnügen.

Achtzehn Jahre bin ich ledig gewesen, rechne ich aus, eine Zeitspanne von eineinhalb Jahren Zusammenwohnen nicht mitgerechnet. Verheiratete Liebhaber, ausländische Liebhaber, es konnte nichts daraus werden. Ich kann mich nicht erinnern, mich dafür entschieden zu haben, für das Alleinleben mit meinem Sohn, aber allmählich hat es angefangen, mir zu gefallen, habe ich es eher als Wahl denn als Schicksal empfunden.

Du hättest doch noch einmal heiraten können, wenn du gewollt hättest, sagt Daniel. Wie ich dich kenne, wolltest du nicht. Ich schaue ihn erstaunt an. Es wäre nicht gegangen, sagte ich, Maurits war bereits verheiratet, Maurits war eine meiner großen Lieben, und Richard hatte seine Arbeit in London. Maurits hättest du kriegen können, der hätte sich bestimmt für dich scheiden lassen, wenn du nur den Platz seiner Frau in seinem Leben hättest einnehmen wollen. Meiner Meinung nach wolltest du nicht.

Ich denke etwas betreten an diese Phase zurück. In meiner Erinnerung hat sie sich als Tragödie festgesetzt, in der ich nicht viel zu sagen gehabt hatte, in der ich nichts entscheiden konnte. Ich denke an Marja, die ich trotz der Tatsache, daß sie meine Rivalin war und darum kämpfte, mir Maurits wieder abspenstig zu machen, doch nett finden mußte. Marja hatte ihr eigenes Studium aufgegeben, um Geld zu verdienen und Maurits im Studium zu unterstützen, und später dann in seiner Anwaltskanzlei. Sie versteht nicht mehr, womit ich mich beschäftige, hatte er sich bei mir beklagt, sie hinkt mir hinterher, ich habe ihr noch angeboten, weniger zu arbeiten, damit sie ihr Studium beenden kann. Mit vierzig, sage ich, gerade noch solidarisch genug, um Maurits darauf hinzuweisen, daß er an ihrem Verblödungsprozeß mitschuldig ist. Ich weiß sehr genau, warum er mich interessant und anziehend findet, ich bin nicht so verschlissen von der ständigen Sorge für einen anderen, von der ständigen Unterstützung, von dem ständigen Kinderstillhalten, denn Papa arbeitet ja. Vielleicht sollte ich mir ein Zimmer nehmen, sagte Maurits, das ist auch besser für Marja, sagte Maurits, halb ehrlich, halb heuchlerisch. Aber er tat es nie. Wenn der Jüngste auf der Mittelschule ist, sagte er dann. Wenn Marja wieder ihr Studium anfängt. Aber der

Jüngste wurde dreizehn und vierzehn und Maurits blieb, wo er war. Marja gewöhnte sich nie daran, an sein Verhältnis mit mir. Wenn du bei der Arbeit bist, will ich gern auf die Kinder aufpassen, aber nicht wenn du so unbedingt zu deiner Freundin mußt. Und ich gewöhnte mich auch nicht daran. Daß die Wochenenden immer für seine Familie reserviert waren, und die Ferien. Daß ich nie anrufen durfte, daß ich mich auf nichts verlassen konnte, daß eine Konferenz, Ausrede für ein gestohlenes Wochenende, nicht stattfinden konnte, weil der Älteste gerade Mumps bekommen hatte. Als er sich wieder einmal tagelang nicht hatte sehen lassen, fuhr ich allein weg, nach Terschelling, wo ich eine Woche lang traurig durch die Dünen zog, abends zuviel Wein trank und ganz allein schluchzend in mein Doppelbett kroch. Als ich zurückkam, fragte ich meinen Sohn, ob Maurits angerufen hätte. Aber auch er hatte nichts mehr von sich hören lassen. Nun ist er geschieden. Und wieder verheiratet.

Siehst du, sagt Daniel, wenn du gewollt hättest, hättest du ihn heiraten können, aber du wolltest nicht. Das ist eine andere Sicht meiner Geschichte. Maurits wußte sehr genau, was ihn die Scheidung kosten würde, sagt Daniel, wie das Leben für ihn auf einem Zimmer aussehen würde, ohne Hilfe in seiner Anwaltskanzlei. Hättest du das für ihn getan, seine Termine für ihn regeln, die Telefongespräche für ihn anzunehmen, die Kinder für ihn still zu halten? Nein, sage ich, ich hatte meine eigene Arbeit. Nein, ich hätte nicht Marjas Platz einnehmen wollen. Marja war nicht dümmer als ich, sie wurde mit der Zeit einfach weniger aufregend, weil sie nichts mehr für sich tat.

Ich weiß doch, was es für Kraft kostet, als Mann, neben deiner Arbeit für dich selbst zu sorgen, sagt Daniel. Was glaubst du, was ich alles hätte erreichen können, wenn ich eine Hausfrau gehabt hätte, eine klassische Ehefrau. Hättest du deine Schriftstellerei denn für ihn aufgeben wollen?

Nein, sage ich, eigentlich nicht. Ganz gleich wie verrückt ich nach ihm war. Und mit Martha?

Mit Martha hätte ich zusammen wohnen können, aber wir wollten es beide nicht. Sie wollte endlich allein sein, nach ihrer Ehe mit Paul. Und ich war schon zu sehr an mein egoistisches Leben gewöhnt, an den Luxus, so spät nach Hause kommen zu können, wie ich wollte, den Abwasch so lange stehen zu lassen, bis ich Lust dazu hatte. Nein, ich wollte keine Ehe, auch nicht mit Martha.

So leben wir also unsere LAT-Beziehung, Daniel und ich. Er in seinem Haus, ich in meinem. Wir wissen genau, was es uns kostet. In Geld ausgedrückt? Die ganzen doppelten Sachen, das Essen, das in meinem Kühlschrank vergammelt, wenn ich wieder einmal nachts bei ihm geblieben bin. Die Straßenbahnen und Taxis und das Benzin. Wir wissen, was es an Zeit und Energie kostet. Immer im voraus denken zu müssen, was soll ich anziehen, was muß ich mitnehmen, immer liegen die Bücher, die ich brauche, irgendwo anders, renne ich mit Plastiktüten durch die Gegend. Nach einem Jahr räumte Daniel ein Regal frei, wo ich eine Sammlung sauberer Socken und Höschen deponieren konnte, und wo er meine Sachen aufbewahren konnte, die ich bei ihm herumliegen ließ. Nach einigen Monaten tauschten wir die Schlüssel aus, die moderne Geste, vergleichbar mit dem Tausch der goldenen Ringe. Er ließ sein Rasiermesser bei mir, und ich kaufte neue Rasierseife, wenn die alte aufgebraucht war. Ich ließ meine Lieblingsseife bei ihm liegen, neben seiner, auf dem Bord in seinem Badezimmer. Findet Dorian das nicht schlimm, frage ich. Dorian will schon seit Wochen nicht mehr hierher kommen, sagte er, es riecht hier nach dir, sagt sie, ich gehe momentan zu ihr.

Verheirateter bin ich schon seit Jahren nicht mehr gewesen, sagte ich zu Daniel, als er mir das leere Regal anbot.

Geld ist zu wichtig,
als daß man sich darüber streitet ...

...sagt der, der weiß, worauf es in einer Beziehung wirklich ankommt. Dem aber auch klar ist, daß Geld – rechtzeitig angelegt – im gemeinsamen Alltag eine durchaus beruhigende Atmosphäre schaffen kann.

Hast du es dir auch gut überlegt?

Es ist nicht einfach mit zwei Haushalten, es ist anstrengend. Meine Katzen finden es nicht schön, wenn ich bei ihm bin, und seine Katzen finden die Fürsorge der neuen Hausgenossin unter aller Würde, sie macht zwar die Büchsen auf, aber sie streichelt nicht genug.

Für eingeschworene Junggesellen sind wir verdächtig häuslich. Ich bleibe einfach bei dir hängen, oder du bei mir. Wir brauchen kaum Ausreden, um einander anzurufen, zusammen essen zu gehen, zu finden, daß wir genug gearbeitet haben, um einander besuchen zu können.

Wenn ich ein paar Tage nicht zu Hause gewesen bin, muß ich mein Haus wieder einwohnen, es ist lieblos geworden und kalt, das Obst ist vergammelt, die Blumen haben angefangen zu stinken. Die Katzen haben die Zeitungen zerfetzt und auf das Sofa gepißt. Ich muß mich zusammenreißen, um nicht gleich wieder zu flüchten, sondern den Kram aufzuräumen, Musik an, bis ich wieder wohne.

Und immer von neuem wieder Abschied nehmen, mich lösen. Manchmal geht es von allein, und ich gehe vor mich hin summend zur Arbeit oder freue mich auf einen Abend allein. Aber manchmal hallen ferne Erinnerungen der Verlassenheit wider, bin ich mir nicht mehr sicher, ob es dich wohl gibt, wenn ich dich nicht sehe, wenn ich nicht weiß, wann du wiederkommst, und es kommt altes und vertrautes Kinderleid in mir hoch, wenn ich dich anrufe und du nimmst nicht ab. Freund, wo bist du?

Aber genauso kindlich freue ich mich wieder auf dich, genauso entzückt, wenn ich die Treppen hinauflaufe zu dir und dich wieder rieche und höre, bevor ich dich sehe, wie am Anfang.

Seine letzte Freundin hat ihn phantastisch eingefahren, berichtete ich den Frauen, die argwöhnisch abgewartet haben, ob ich mich nicht einem verkehrten Kerl an den Hals werfe, genauso wie früher.

Es ist sehr angenehm mit jemandem, der schon so alt ist, erzähle ich, er braucht nicht mehr erzogen zu werden, er kennt alle wichtigen Stellen, und er hat seine Midlife-Krise schon hinter sich. Er hat selten eine Gelegenheit verpaßt, wenn sich appetitliche Damen auf ihn stürzten, und nun hat er nicht das Gefühl so vieler Vierzig-, Fünfzigjähriger, daß er was verpaßt hat in diesem Leben, was er jetzt aufholen muß, indem er mit einer zwanzig Jahre jüngeren Frau durchbrennt oder alle Freundinnen seiner Frau vernascht. Angenehm, wirklich sehr angenehm.

Meiner dagegen, sagt eine Freundin, die selbst einen viel jüngeren Geliebten hat, meiner ist nicht so teuer, der braucht seine letzten Familie nicht abzuzahlen. Das ist wahr, gebe ich zu, denn Daniel behält, wenn er allen seinen Verpflichtungen nachgekommen ist, nichts übrig, seine Söhne, die noch zur Schule gehen, der Unterhalt für die Kinder. Er ist einer der wenigen Väter, die den vollen Betrag zahlen, und dann noch die Hypothek und die Zinsen der Baukosten, die in die Tausende gehen. Ich sehe, wie ihm regelmäßig der Schweiß auf der Stirn steht, wenn er die länglichen Briefumschläge mit den Fenstern öffnet, und wie hart er dafür arbeiten muß. Dann bezahle ich die Fahrstunden seines Ältesten und den Wochenendtrip nach Paris, damit er sich von der harten Arbeit erholen kann, und die Autoreparatur. Es ist merkwürdig, die Sachen nun einmal von der anderen Seite zu erleben, denn war ich selbst nicht eine der Frauen, die verbittert feststellten, daß der minimale Betrag, der mir für den Unterhalt des Kindes zustand, sich auf dem Papier zwar regelmäßig erhöhte, ich aber davon nichts zu sehen bekam? Nun stehe ich auf der anderen Seite und erlebe einen Mann, der für seine Kinder bezahlt, und nicht nur einen symbolischen Betrag. Wie kommt es, daß du es nicht nervig findest, wie so viele andere Männer, frage ich, und Daniel erzählt, wie sein Vater, so wenig wie er selbst auch hatte, und so schwierig es auch nach der Scheidung von seiner Mutter für ihn war, immer Geld gab, wenn sie es wirklich brauchten. Er wollte, daß wir uns sicher fühlen, und das will ich für meine Kinder auch. Und so helfe ich mir mit einem zusätzlichen halben Job über die Runden, um Daniel zu helfen, der auch noch einen extra Halbtagsjob hat, damit er das ganze Geld bezahlen kann. Ist dir das nicht zuviel, fragt Daniel, schaffst du das überhaupt? Daniel, sage ich, für dich ist das immer noch ein Spottpreis.

10

Natürlich ging es schief. In der Theorie war die Sache im Gleichgewicht: Daniel hatte seine feste Freundin, ich meine. Beide wohnten wir allein, wir hatten genügend Platz, warum sollte es nicht gehen? Wenn es dir nicht paßt, kannst du doch jederzeit damit aufhören, sagte er. Wenn es nicht geht. Woraufhin ich blaß wurde und mich in mich zurückzog. Dann dauerte es eine Stunde, bis es wieder schön mit uns war.

Ich versuchte die Welt auszusperren in den Stunden, die wir für uns hatten. Nächtliche Stunden, manchmal sah ich dich eine Woche lang nicht bei Tageslicht. Ab und zu gelang es uns, zu entkommen. Dorian zu entkommen. Martha zu entkommen. Jedem, der sich einmischen wollte oder vielsagend den Mund hielt, zu entkommen. Ich kaufte einen pfauenblauen Kimono für dich, den du nie lange anhattest, weil ich dich so gerne ausziehe. Du gibst zuviel Geld aus, sagtest du, aber ich hatte eine Ausrede: mit Verlobungsgeschenken brauchten wir nicht zu rechnen. Wir flüchteten für ein Wochenende nach Venedig, wo ich Fotos von dir machte, nackt vor dem Waschbecken. In Antwerpen schlenderten wir am Sonntag durch die Pelikanstraat und kauften Torte bei dem Bäcker, der jiddisch sprach. Wir lasen die Namen auf den Schildern der Leute, die dort wohnten. So wie wir auf dem Jüdischen Friedhof in Ouderkerk die Namen der Menschen lasen, die es nicht mehr gibt. Ich half dir, aus einer alten schwarzen Regenhaut, die im Auto lag, eine Kipal zuzuschneiden. Und einmal in Bergen, wo ich ein Zimmer gemietet hatte, um ein paar Tage ungestört arbeiten zu können, tauchtest du mitten in der Nacht auf, mit einem Taxi. Du hattest eine Autopanne und wolltest nicht bis zum nächsten Morgen warten. Nach diesen ersten Monaten sagte keiner mehr von uns, daß wir auch noch damit aufhören könnten.

Hilde hatte mit mir alle Hände voll zu tun in diesem ersten Jahr. Ich hatte mich wieder zur Therapie angemeldet, als die euphorischen Phasen sich zu häufig mit Niedergeschlagenheit abwechselten, mit ängstlichen Vorgefühlen und Eifersuchtsanfällen. Du rätst es nie, was ich jetzt wieder ausgeheckt habe, sage ich zu Hilde, aber Hilde wußte es natürlich schon. Ein Mann.

Angst davor, wieder ausgeliefert zu sein, Angst davor, wieder verletzt zu werden, Angst davor, im Stich gelassen zu werden. Wieder einmal. Genau das Richtige, um damit zu arbeiten, sagt Hilde munter.

Aber ich bin doch bekloppt, sage ich, mir wieder diese ganzen Situationen aufzuhalsen, die Beziehung mit Martha zu riskieren, wieder in einer Situation zu sitzen, in der es alles bald wieder vorbei sein kann, bald sitze ich wieder allein da, ich bin beinahe vierzig, wird es nicht Zeit, daß ich vernünftiger werde?

Du hast dir eine Beziehung ausgesucht, die aufregend genug ist, viele alte Gefühle wieder hochkommen zu lassen, und sicher genug, um sie aussortieren zu können, sagt Hilde.

Ausgesucht, murre ich. Es ist einfach passiert.

Ja, ja, natürlich, sagt Hilde, und grinst in einer Art und Weise, die mich so ärgern kann, als ob sie etwas sieht, was ich noch nicht weiß. Erzähl mal was von Daniel.

Ich streite mich mit ihm, sage ich. Wenn er zu spät kommt und ich schon eine Stunde auf ihn gewartet habe. Oder wenn er mitten im Gespräch einschläft. Es gibt Tage, an denen er mit einem düsteren Gesicht dahockt und ich nicht zu ihm durchdringen kann. Und das Schlimme ist, daß ich das Gefühl habe, daß wir uns keinen Streit erlauben können, denn er muß immer wieder weg. Dann liege ich nachts wach, quäle mich und werde noch böser, während er neben mir liegt und schnarcht. Dann denke ich: morgen früh muß es wieder in Ordnung sein, denn dann geht er zu Dorian. Früher, als ich böse war, zog ich mich zurück, dann schloß ich mich in mein Zimmer ein und blieb dort, bis sie ein paarmal an meine Tür geklopft hatten, ob ich nicht wieder herauskommen wolle. Aber bei Daniel nützt mir das nichts. Denn wenn er eine Verabredung mit Dorian hat, geht er sowieso weg. Ich kann ihn nicht anrufen, wenn sie da ist. Und ich will nicht diejenige mit den Problemen sein. Mit Dorian ist es schon schwierig genug. Hilde lacht wieder. Was macht Daniel, wenn du böse bist, fragt sie.

Der bleibt sitzen, sage ich. Oder er kommt einfach wieder zurück.

Damit hast du nicht gerechnet, nicht? fragt Hilde.

Mit Martha habe ich fast nie Streit. Einmal, als ich ihr etwas von Daniel erzählte, in diesem ersten Jahr, fährt sie mich an, daß ich mich zu sehr gehen lasse. Dann erzähle ich ihr eben nicht mehr so viel, sie fragt auch nicht nach.

Erwartet sie, daß es bald vorbei sein wird? Ist es ihr altes Muster mit Paul, die andere Beziehung so lange zu negieren, solange sie nur nicht zu viel davon mitbekommt? Sie sieht Paul ab und zu, aber sie sind so lange verheiratet gewesen, es hat nichts von der Heftigkeit, die ich mit Daniel erlebe. Oder erzählt sie es nicht?

Dorian macht es anders. Sie schreibt mir und will mit mir reden. Wir verabreden uns. Nervös suchen wir uns einen freien Tisch in einem vollen Café. Wir reden ein wenig über die Arbeit, die sie macht, und über meine, wir tauschen Erfahrungen aus über die Frauenbewegung, erinnern uns an die Male, wo wir uns begegnet sind. Neutrales Terrain. Ich schaue zu, wie sie Tee und Kuchen bestellt und dann die Schlagsahne vom

Kuchen in ihren Tee rührt. Sie beobachtet, wie ich meinen Cognac zu schnell trinke und einen neuen bestelle.

Ich finde es ganz schrecklich, daß du ein Verhältnis mit Daniel hast, sagt Dorian nach einer Pause und sieht mich direkt an. Aber so wie es aussieht, kann man wohl nichts daran ändern. Nein, sage ich. Ich glaube nicht, daß ich die Absicht habe, damit wieder aufzuhören. Und du sicher auch nicht. Sie schüttelt den Kopf.

Vielleicht können wir dann darüber reden, wie wir einander so wenig wie möglich in die Quere kommen, schlage ich vor. Und wir reden über die festen Punkte, mit denen Dorian rechnet. Der Samstagabend, Sonntag. Ich sage, daß ich gern ab und zu ein ganzes Wochenende wegfahren möchte, ob sie das nicht auch möchte?

Dorian sieht mich böse an. Ich habe mehr von ihm, wenn ich ihn oft sehe und dafür nicht so lange, sagt sie. Aber wenn ich es vorher weiß ...

Du fährst doch eine Woche Ski mit ihm, sage ich. Ich hatte zwei Wochen gewollt, sagt sie, und schaut mich wieder starr an, eisig.

Ich bestelle noch einen Cognac. Dorian möchte nichts. Wir reden weiter, vernünftig, klug, erwachsene Leute. Aber wie nervös es mich macht, merke ich erst, als wir auf dem Bürgersteig stehen, einander etwas ungeschickt einen Kuß geben, jede in einer anderen Richtung verschwindet, und ich merke, wie meine Knie zittern. Wo ist Daniel, wo finde ich Daniel.

Die größte Krise in diesem Jahr, in dem unsere vier Leben so eng miteinander verwoben waren, Daniels, Dorians, Marthas und meines, war, als Daniel sich hatte sterilisieren lassen und krank wurde. Es war für ihn so schon ein Kunststück, sich zwischen Dorian und mir zu behaupten. Es schien zu klappen, indem er sich eisern an die vereinbarten Absprachen hielt. Der Freitagabend gehörte mir. Aber Sonnabend ab fünf gehörte er

Dorian, und dann ging ich zu Martha. Ganz gleich, wie die Stimmung war. Ob uns nun zum Schmusen zumute ist oder ob wir depressiv sind und böse Vorahnungen uns quälen, um 17 Uhr geht er zu Dorian. Manchmal gelingt es mir, den Übergang elegant zu überspielen, nicht darauf zu warten, daß er auf seine Uhr schaut, die ich schon eine Weile im Auge behalten habe, um nicht wieder unglücklich oder mit Tränen in den Augen wegzugehen. Abschied nehmen ist nie meine Stärke gewesen, aber nun lugt das alte Ungeheuer plötzlich wieder um die Ecke, von dem ich glaubte, daß ich ihm endgültig entwachsen sei. Eifersucht. Und was wird wohl passieren, wenn Dorian ihm wirklich die Pistole auf die Brust setzt, werde ich dann wieder aufs Abstellgleis geschoben, wie ich das früher so oft erlebt habe? Manchmal, wenn Dorian ihn am Sonntagabend früher als abgemacht verläßt, und ich auch schon von Martha wieder zurückgekehrt bin, ruft er mich an. Ich bin mir nie zu fein, noch zu ihm zu fahren, mit der letzten Straßenbahn, ich nehme, was ich kriegen kann. Aber ich weiß nie, wie ich ihn vorfinden werde, fröhlich und verlangend oder nachdenklich und zurückgezogen, ebenso wie er nie weiß, wie ich sein werde, ob ich gutgelaunt eine Attacke auf seine Knöpfe und Reißverschlüsse starte oder völlig verschlossen sein werde, voll unterdrückten Mißtrauens, zynisch. Und immer denke ich, daß ich keinen Grund habe, mich zu beklagen, schließlich wußte ich es doch von Anfang an.

Aber Daniel, sage ich, als wir uns unterhalten, kurz bevor meine Zeit wieder abgelaufen ist, irgendwo in einem Café am Wasser, zu dem wir hinausgefahren sind, Daniel, ich habe manchmal das Gefühl, daß ich eine große Liebe in einen kleinen Käfig sperren muß. An allen Seiten quillt sie heraus, ich muß Stücke von ihr abhacken, damit sie hineinpaßt, das tut weh. Daniel versteht das gut, er versteht alles, Verlustängste und Eifersucht. Er hält meine Hand fest, schaut mich an und hört mir zu. Aber wenn es Zeit wird, setzt er mich an der Straßenbahnhaltestelle ab und fährt zu Dorian. Wir hätten es nicht so lange durchgehalten, wenn er sich nicht so rigoros an die Abmachungen gehalten hätte. Er gab Dorian nicht für mich auf, aber mich auch nicht für Dorian. Aber es kostete auch ihn viel Energie, das durchzuhalten.

Daniel hat sich sterilisieren lassen. Für Dorian, nicht für mich, denn ich war es schon; oder genauer, wie er selbst sagt, für sich. Ich finde die Idee nicht schlecht. Habe ich nicht einmal davon geträumt, daß Dorian schwanger sei?

Daniel würde doch einen hervorragenden Vater abgeben. Ich finde es so schon kompliziert genug.

Dorian hat ihm Gesellschaft geleistet nach dem Besuch bei dem Chirurgen und für ihn eingekauft. Am nächsten Tag komme ich. Daniel geht etwas breitbeinig, hat einen Kaftan an und nähert sich mir nur vorsichtig, aus Angst, daß ich ihm ohne lange zu überlegen und begeistert an den Schritt fasse, wie ich ihn häufiger mal begrüße. Ich packe die Sachen aus, die ich für ihn mitgebracht habe, wir müssen es uns doch ein biß-chen nett machen, jetzt, wo uns so wenig erlaubt ist. Einen Pinguin aus Papier habe ich ihm mitgebracht, um ihn auf kühlere Gedanken zu bringen. Der Pinguin ist zusammenfaltbar, damit er wieder verschwinden kann, wenn Dorian kommt, denn noch immer verwische ich sorgfältig meine Spuren, bevor ich weggehe, um Dorian nicht zu sehr weh zu tun und um die Sache nicht noch weiter auf die Spitze zu treiben. Es war schlimmer, als ich gedacht hatte, sagt Daniel, aber es ist ja doch noch mal gutgegangen.

Aber einige Tage später, als er an einem Sonnabend bei mir ist, ist ihm kalt, und er kriecht zitternd unter die Decke. Vielleicht eine leichte Grippe. Mit noch größerem Bedauern als sonst lasse ich ihn gehen, als meine Zeit um ist und die von Dorian beginnt, und ich meine Sachen packe, um die andere Hälfte des Wochenendes bei Martha zu verbringen. Denn wenn Daniel krank ist, kommt alles in mir hoch, was ich an Frauensozialisation in mir habe, ich möchte ihn ins Bett stecken, ihm warme Milch kochen und Apfelsinen auspressen und mich warm an ihn schmiegen.

Sonntagabend, noch bei Martha, klingelt das Telefon. Dorian, für dich, sagt Martha etwas frostig, denn auch wenn sie so tut, als wolle sie davon nichts wissen, versteht sie doch, daß wir in sehr komplizierte Gefühlslagen verstrickt sind, und sie heißt es nicht gut. Mit Paul und ihr läuft es auf einer sehr viel ruhigeren Ebene ab. Dorian hier, sagt Dorian. Hör mal, du hast morgen doch eine Verabredung mit Daniel, das klappt nicht. Sofort erwacht das Ungeheuer und haut mir seine Krallen in die Seele. Siehst du wohl, denke ich, nun ist das Theater da. Dorian hat ihm ein Ultimatum gestellt und nun traut er sich nicht selbst zu sagen, daß er die Verabredung mit mir sausen läßt. Aber ich habe Daniel verkehrt eingeschätzt, und Dorian auch. Daniel hat eine Infektion bekommen, sagt Dorian, er hat hohes Fieber und liegt hier in meinem Bett. Eine Infektion, die er sich im Krankenhaus geholt hat, durch die Sterilisation. Er bekommt jetzt Penicillin, aber es sieht noch ziemlich böse aus, sein Zustand ist noch kritisch. Er kann auf keinen Fall transportiert werden, und er ist auch zu schwach, um selbst ans Telefon zu kommen. Er bittet mich, dir das zu sagen. Vielleicht kannst du morgen hierherkommen. Ich muß zur Arbeit, also mir wäre es sehr recht, wenn du auf Daniel aufpassen könntest.

Gut, sage ich, und das Gespräch wirkt nun beinahe sachlich, als ob wir von einem Hund redeten, den eine von uns hüten muß, oder von einem Kind, das von der Schule abgeholt werden muß. Wann willst du, daß ich komme? Viertel nach neun verlasse ich das Haus, wenn ich schon weg sein sollte, lasse ich die Tür auf. Und um Viertel nach fünf bin ich wieder zu Hause. Weißt du, wo ich wohne?

Mir schwirrt der Kopf. Daniel krank, kritisch, Fieber, ich muß zu ihm, ich kann hier doch nicht ruhig auf der Couch bei Martha sitzen bleiben, während er vielleicht stirbt. Und, o Gott, warum ist er in ihrem Haus umgekippt und nicht in meinem Bett liegen geblieben, oder notfalls noch in seinem eigenen Haus, auf neutralem Boden. Und, o Gott, nun muß ich morgen in ihre Wohnung. Ich erzähle Martha kurz, was los ist, aber sage ihr lieber nichts von dem Wust in meinem Kopf.

Das ist unangenehm für dich oder, sagt Martha, möchtest du noch Kaffee? Ich überlege, ob ich noch mal anrufen soll, daß ich sofort vorbeikommen will, aber ich reiße mich zusammen, es wäre Martha gegenüber nicht sehr nett und auch Dorian gegenüber nicht. Auch wenn ich mir ab und zu vorstelle, daß Dorian stirbt und uns aus dieser Situation befreit, ich muß mit Bewunderung zugeben, daß sie sich sehr vernünftig verhält, kühl und korrekt.

Ich starre auf das Buch mit den Verkehrszeichen und -regeln, das auf meinem Schoß liegt. Übermorgen soll ich auch noch die Fahrprüfung machen, zum fünftenmal, auf Drängen von Martha, die sagt, daß sie nicht mehr mit mir in Urlaub fährt, wenn ich keinen ernsthaften Versuch gemacht habe, meinen Führerschein zu bekommen, nicht noch einmal so eine Katastrophe wie damals in Portugal.

Dorian hat einen Zettel an ihre Tür gehängt, für mich, daß sie bereits fort ist und daß ich einfach so durchgehen kann, die Tür sei nicht verschlossen. Mit gesträubtem Nackenhaar und geblähten Nasenflügeln schleiche ich wie eine Katze durch ihr Gebiet, auf der Suche nach meinem Geliebten, der hier irgendwo in ihrem Bett liegen muß. Mein Hals ist trocken, meine Hände sind kalt. Ein Flur, eine Tür, in einem Durchgangszimmer liegt Daniel, der mich gehört hat und heiser Hallo sagt. O Gott, Daniel. Wie siehst du nur aus? Seine Augen halb geschlossen, sein Mund halb offen, völlig erledigt liegt er zwischen den weißen Laken. Das Reden macht ihm Mühe, und ich darf ihn kaum berühren, alles tut ihm weh. Als ich mich über ihn beuge, steigt eine Welle ungesunder Hitze von ihm auf, nicht seine ihm eigene, normale tierische Wärme. Und er riecht anders. Säuerlich, krank.

Ein Mist, was, sagt er, bevor ihm seine Augen wieder zufallen. Später redet er nur, wenn er etwas zu trinken haben möchte, das Kissen aufgeschüttelt bekommen will, oder wenn ich den nassen Waschlappen auf seiner Stirn erneuern soll. Ich sitze neben ihm, auf dem Bettrand, in diesem fremden Gebiet, überhaupt nicht in der Lage, mich zu entspannen. Es riecht hier falsch, und Dorians Katzen mögen mich nicht – sie bleiben auf Abstand. Aber allmählich, als die Stunden verstreichen, schaue ich nicht mehr nur auf seinen kranken Kopf über den Laken, sondern sehe mich auch um. In dem großen antiken Spiegel gegenüber dem Bett sehe ich mich selbst sitzen, auf dem Bett neben Daniel. Wie ein erschrockenes Kaninchen. Ich wende meinen Blick wieder ab. Gedanken daran, was sich da wohl sonst noch gespiegelt hat, verdränge ich. Ich gehe in ihre Küche, um Apfelmus zu suchen, mit dem ich ihn füttere, einen Löffel, noch einen Löffel. Ich schaue mir ihre Bücher an, viele davon stehen auch in meinem Regal. Ich sehe sogar ‹Die elfte These› dort stehen und ‹Die zweite Sünde›.

Dann kommt Dorian nach Hause, ich höre die Tür gehen, schon seit einer halben Stunde habe ich auf meine Uhr geschaut. Wie muß sie sich fühlen, wenn ich auf dem Bettrand hier sitze, auf ihrem Bett, in dem ihr Geliebter liegt, der auch meiner ist? Sie schaut um die Ecke, ruft leise Hallo und verschwindet dann in der Küche. Ich folge ihr. Sie packt die Einkäufe aus. Vielleicht können wir etwas abmachen, sage ich. Für die nächsten Tage. Mußt du wieder zur Arbeit?

Nein, sagt sie, ich arbeite die nächsten Tage zu Hause, aber du kannst ruhig vorbeikommen. Es scheint mir keine sehr gute Idee zu sein, wenn wir alle beide über sein Krankenbett gebeugt dasitzen. Ich schaue auf Dorians schmales, blasses Gesicht. Sie redet, als wäre es lediglich ein technisches Problem, wer auf Daniel aufpassen soll, tut sie nur so tapfer?

Gibt es nicht einen Moment, den du doch weg mußt, morgen, und wo ich dann kommen kann, frage ich. Sie ist damit beschäftigt, Dosen für die Katzen zu öffnen.

Ich muß morgen vormittag eine Stunde in die Bibliothek, vielleicht kannst du dann kommen, sagt sie. Gut, antworte ich, dann komme ich um elf und gehe um zwölf wieder weg, denn dann muß ich meine Führerscheinprüfung machen. Paßt dir das? Ja, sicher, sagt sie. Willst du mitessen, es ist nicht viel, aber du kannst gerne bleiben. Nein, danke, sage ich und flüchte mich nach Hause, weine an der Straßenbahnhaltestelle, es ist mir völlig egal, ob mich jemand sieht.

Als ich am nächsten Morgen ankomme, ist die Tür verschlossen. Dorian macht auf, als ich klingle. Es geht Daniel besser, sagt sie, das Fieber ist nicht weiter gestiegen. Ich gehe durch, wo Daniel liegt, und zögere, ob ich ihn küssen soll, jetzt wo mir Dorian so dicht auf den Fersen ist. Und sie stellt sich neben ihn, und sie redet über den Streit, den sie mit dem Krankenhaus bekommen hat, das sie angerufen hatte, diejenigen, die verantwortlich dafür sind, daß er jetzt die Infektion hat. Über den Arzt, der nicht kommen wollte. Wir, sagt sie, wir. Wir haben mit dem Arzt gesprochen, wir haben beschlossen. Wir. Das Wir der Ehepaare, mir wird schlecht dabei. Und sie bleibt ständig in unserer Nähe, bietet mir Tee an, ihr Schatten fällt über mich, wenn ich mich neben ihn setze, in dem großen Spiegel neben dem Bett kann sie alles verfolgen, während sie im Nebenzimmer irgend etwas herumräumt oder umstellt. Ich halte seine Hand, trotzdem. Daniel liegt hilflos dabei, zu schwach, um mehr zu tun als einfache Antworten auf einfache Fragen zu geben. Kein Tee. Gern eine Apfelsine. Ich nehme eine Apfelsine, um sie zu schälen und um etwas mit meinen Händen zu tun zu haben, die immer zu Daniel wollen.

Gib mal her, sagt Dorian, ich presse sie ihm schnell aus.

Laß doch, sage ich, ich mach das schon. O Gott, wir werden uns doch nicht über dem Sterbebett unseres gemeinsamen Liebhabers um eine Apfelsine kloppen, denke ich, mit unseren höflichen Damenstimmen, die versuchen, alle darunterliegenden Gefühle zu verbergen. Daniel, sehr sensibel für solche Spannungen, hat seine Augen einfach geschlossen und versucht, nicht da zu sein. Ich bleibe nur bis 12 Uhr, versuche ich Dorian an die Abmachung zu erinnern, mußtest du nicht in die Bibliothek? Die hat zu, sagt sie, als ob es darum ginge. Und sie bleibt in der Nähe, schaut auf die Pillen in den Döschen neben seinem Bett, fragt Daniel, sollen wir den Arzt bald mal anrufen? Wir. Warum kannst du nicht mal eine Stunde abhauen, denke ich, und versuche sie mit Kraft des Gedankens zum Verschwinden zu bewegen. Sage es aber nicht laut, denn ist es nicht schon ungeheuer dufte und großzügig von ihr, daß sie mich überhaupt hereingelassen hat? Ich gehe kurz etwas einkaufen, sagt sie endlich, zu meiner Erleichterung. Ich habe auf meine Uhr geschaut, noch zwanzig Minuten, bevor ich los muß. Ich hole uns etwas Leckeres, möchtest du auch einen Mohrenkopf? Nein, danke, sage ich, und denke später, vielleicht hätte ich ihn doch annehmen müssen, vielleicht war es ein Friedensangebot, aber nein, von all den widerstreitenden Gefühlen zwischen abhauen wollen und sie anfahren sind meine Gedärme total verknotet, ich würde keinen Bissen herunterbekommen. Sie geht, und erleichtert kann ich mich kurz neben Daniel hinlegen, meinen Kopf ganz nahe an seinem. Er riecht schon wieder mehr nach sich selbst, Gott sei Dank. Es ist nicht leicht so, oder, fragt er heiser. Nein, sage ich, es ist nicht leicht. Und versuche nicht zu weinen, Daniel nicht damit zu belasten, wie beschissen ich mich in dieser Situation fühle. Ich werde das mit Dorian bereden, sage ich, aber ich glaube nicht, daß es klug ist, wenn ich noch einmal hierherkomme, solange du hier liegst. Ich hoffe, daß ich bald nach Hause kann, sagt Daniel. Laß dich nur nicht unterkriegen.

Dorian kommt zurück und ißt ihren Mohrenkopf, ich sehe sie gegenüber dem Spiegel sitzen. Ich stehe auf, gehst du schon, fragt Dorian, du kannst auch ruhig noch bleiben, gleich gehe ich noch zur Bibliothek.

Ich muß zu meiner Führerscheinprüfung, sage ich.

Und auf dem Flur versuchen wir, Verabredungen zu treffen. Du kannst morgen gerne wiederkommen, sagt sie, wenn du es nicht schlimm findest, daß ich dann auch hier bin.

Ich glaube, daß es nicht gutgeht, so sage ich. Ich fand es jetzt schwierig genug, ich dachte, daß wir abgemacht hätten, daß du in die Bibliothek gehen würdest. Das hatte ich auch vor, sagt Dorian, aber dann wollte Daniel unbedingt, daß ich ihn noch wasche, bevor du kommst, und sein Bett mußte neu bezogen werden, ich war noch nicht fertig, als du kamst, und dann hatte die Bibliothek auch noch nicht geöffnet, ich hatte extra angerufen.

Ich beiße mir auf die Lippen, und sage nicht: Hättest du nicht für eine Stunde in ein Café gehen können, war es nötig, die ganze Zeit bei uns rumzuhängen? Ich sage es nicht. Es ist ihr Haus. Ich kann sie doch nicht wegschicken?

Laß uns noch mal telefonieren, sagt sie, vielleicht muß ich übermorgen zur Arbeit und dann kannst du kommen.

Gut, sage ich, gehe noch kurz zu Daniel und sage ihm, daß ich sehen werde, wann ich wiederkommen kann, besser nicht so, auf diese Art, sage ich.

Okay, sagt er. Bis bald.

Meine Führerscheinprüfung mache ich an diesem Mittag fast fehlerlos und ohne eine Spur Nervosität. Verglichen mit der Katastrophe, daß deine große Liebe im Sterben liegt und das auch noch im verkehrten Bett, ist dies ein Klacks.

Dorian hat die Situation auf ihre Weise gelöst. Sie hat Daniel mit seinen ganzen Sachen in ein Taxi gesteckt und ihn nach Hause gebracht.

Ich bin erleichtert, daß ich ihn in seinem eigenen Haus besuchen kann. Bei ihm schlafen kann, für ihn kochen kann. Wann kommt Dorian wieder, frage ich, um zu wissen, wann ich wieder das Feld räumen muß. Vorläufig nicht, sehr wahrscheinlich, sagt Daniel. Sie ist wütend. Hat das Gefühl, daß sie sich große Mühe gegeben hat, daß ich es aber nicht gut fand und daß du ihr auch Vorwürfe machst.

Einige Tage später, als er wieder ein bißchen auf den Beinen ist und ich ihn nach der Februar-Gedenkfeier für den Amsterdamer Widerstand anrufe, zu der ich mit Martha gegangen war, sagt er, daß Dorian Schluß gemacht hat.

Oh, sage ich, und merke, wie mein Herz zu klopfen beginnt. Wie geht es dir denn nun? Ich weiß es noch nicht, sagt er, ein bißchen durcheinander, ein bißchen traurig.

Aber als ich ihn besuche, eine halbe Stunde später, steht ein großer Strauß Tulpen auf seinem Tisch, und er sagt, daß Dorian wieder dagewesen sei. Es läuft wieder, sagt er. Es hat genau eine Stunde gedauert. Sie findet es noch schmerzlicher ohne mich als mit mir.

Wir müssen mal abwarten, vorläufig.

Ich muß dafür sorgen, daß ich nicht krank werde. Und wenn ich krank werde, dann auf jeden Fall in meinem eigenen Bett.

11

Manchmal hasse ich dich wie die Pest. Weil du tief in mein Leben eingedrungen bist, und ich keine einzige Stimmung vor dir verbergen kann, auch meine Kindlichkeiten nicht, meine unpraktische Angst vor dem Verkehr, die dazu führt, daß ich mir ständig Ausreden ausdenke, um dich fahren zu lassen. Nein, sagst du, es scheint mir eine bessere Idee zu sein, wenn du wieder einmal fährst. Und gehorsam, aber bockig wie ein Kind, das sein Fahrrad hereinstellen soll, gehe ich auf die andere Seite des Autos. Denn du hast recht. Du hast oft recht. Kleine Eifersuchtsanfälle, für die ich mich schäme, weil ich sie unter meinem Niveau finde, große Verlassenheitsgefühle, die, wie ich finde, nicht zu meiner so schwer erkämpften Selbständigkeit passen, magst du mich nicht gerade, weil ich auf eigenen Füßen stehen kann? Du triffst mich an meinen wundesten Punkten, meine Aufgelöstheit, wenn du eine Stunde zu spät dran bist und ich denke, daß du nicht mehr kommst. Stimmen von früher, für die nicht du verantwortlich bist. Ich muß mich daran gewöhnen, daß es nichts bedeutet, wenn du zu spät kommst, daß du nicht nein sagen konntest zu jemandem, der dich anrief, und daß du den Katzen noch was zu essen geben und Geld von der Bank holen und noch Unterlagen bei einem Kollegen abgeben mußtest.

Manchmal hasse ich dich wie die Pest, weil ich es nicht lassen kann, mir Sorgen um dich zu machen. Ich habe eine blühende

Phantasie, die zu Bildern voller Unheil neigt. Ich sehe dich tot. Manchmal, wenn du eingeschlafen bist, müde und etwas grau von der vielen Arbeit und den zu hohen Zinslasten, kann ich sehen, wie du dann aussehen wirst. Und ich bin noch nie so besessen gewesen, ich will dich nicht verlieren. Manchmal hasse ich dich, wenn ich merke, wie sehr ich dich mag und wieviel Angst ich habe, austauschbar zu sein. Deine Warteliste, scherze ich, die Freundinnen von früher, die noch immer verrückt nach dir sind, die Frauen, die dich auch gerne haben würden. Und manchmal hasse ich dich, wenn ich merke, wie ich mir Sorgen mache um deine Sorgen, wie ich mit dir in deinen Depressionen versinke. Das ist nicht mein Leben, sondern seines, denke ich dann. Aber inzwischen hat sich mein Schicksal mit dem deinen verbunden. In einem rasanten Tempo. Es schafft einen Boden unter meinem Leben, in dem ich Wurzeln schlagen kann. Aber es gibt auch Träume voller Unruhe, Angst vor dem Verlassenwerden. Alter Kinderkummer, mit dem ich nicht mehr gerechnet hatte. Daniel, gehst du mit mir ein Stückchen am Meer spazieren, wir haben noch eine Stunde Zeit, bevor die Sonne untergeht.

Schlichte Verlustängste, sagt Daniel. Ganz normal. Nichts, für das man sich schämen bräuchte. Selbst wegzugehen ist nicht so schlimm, aber wenn ich allein zurück bleibe, ist das der Augenblick, in dem die Ungeheuer wieder zuschlagen, vor allem dann, wenn ich gerade einmal nicht aufgepaßt habe. Wie Raubtiere, die ruhig bleiben, solange du sie ansiehst, ich sehe dich schon, aber ich bin stärker als du, so bleiben die Ungeheuer liegen, wenn ich sie im Auge behalte. Aber früher oder später vergesse ich die Gefahr, kommt der Moment, in dem ich nicht auf der Hut bin. Und ich werde angefallen.

Wir sind ein Wochenende weggewesen, in Venedig. Auf dem Rückweg sehe ich, wie du mit deinen Gedanken von mir abschweifst, zu deiner Arbeit hin, so daß deine Augen undurchdringbar werden. Aber du bist noch viel schlimmer, sagt

Daniel, wenn du am Schreiben bist, in deinem Kopf, dann bist du nicht auszuhalten. Du hörst nicht zu, eigentlich bist du gar nicht da. Das stimmt. Und es wird wieder Zeit, mich abzusondern, aufzuhören, mich in der wohligen Wärme der Symbiose zu aalen, im warmen Bad. Schreiben ist Verzicht. Daran ist nichts zu ändern. Abschied nehmen, auch wenn es nur für einen kurzen Augenblick ist, für ein paar Tage, für einen Tag, für ein paar Stunden. Ist das so dramatisch? Wenn wir zur Arbeit müssen, geht es automatisch. Ich schaue dir aus dem Fenster hinterher, wenn du früher als ich weg mußt. Ich warte neben der Katze, weiß, wann du die Treppen herunterrennst und ich das Schlagen der Tür hören werde, weiß, wieviel später ich dich bei der Brücke sehen werde. Im Winter, wenn die Bäume kahl sind, sehe ich dich länger, einen Mann mit einer Regenjacke, eilig auf dem Weg zur Metro. Manchmal schaust du dich um, manchmal nicht, aber mit deinen Gedanken warst du schon vorher weggegangen. Manchmal fährst du mit dem Auto fort. Manchmal fährst du mit dem Rad weg. Ich übe mich im Abschiednehmen, ich werde es noch oft tun müssen. Ich übe mich, Vertrauen zu haben, daß du wieder zurückkommst. Wurde ich denn so oft verlassen, bin ich denn so allein gewesen? Verlustängste, sagt Hilde. Verlustängste, sagt Daniel. Normal. Und du wirst sehen, ich komme immer wieder zurück.

Wir nehmen meist sehr sorgfältig voneinander Abschied. Du bringst mich weg oder winkst mir zu, bis wir einander nicht mehr sehen können. Ich verstehe das alles, sagst du, nur hatte ich zehn Jahre länger Zeit als du, es zu verarbeiten.

Ich hatte die Ungeheuer im Auge behalten, als wir zurückkamen. Immer schwierig, die Trennung, wenn es ein paar Tage so schön gewesen ist, so sorgenfrei. Wir schliefen in meinem Bett. Morgens gingst du in dein Haus, mit einem kleinen Koffer. Und mit einer Verabredung zum Essen. Ich nahm mein

Haus wieder in Beschlag, räumte die Post auf, las Zeitungen, kuschelte mit den Katzen, packte meine Tasche aus, stapelte die Bücher. Du kamst zum Essen wieder. Wir aßen zusammen, draußen. Ein wenig abwesend, alle beide. Du bei deinem Leben, von dem du die Beweise in Form von beigen und blauen Briefumschlägen vorgefunden hattest, ich bei meinem, bei dem Buch, das jetzt geschrieben werden mußte, kein Aufschub mehr. Als wir uns wieder trennten, war es beinahe schmerzlos.

Aber was ist nun auf einmal wieder? Kurz nicht aufgepaßt. Ich wache in deinem Haus auf, wir haben lange geschlafen. Du machst das Frühstück. Wir recken uns, setzen Kaffeewasser auf. Ein Zigarillo. Das Fenster ist offen. Es riecht nach Sommer, eine Fliege summt, aus der Ferne klingt eine metallene Stimme aus einem Rundfahrtboot herüber. Ich denke an die Schreibmaschine in meinem sonnenlosen Haus, in das ich mich jetzt selbst verbannen soll. Ich würde lieber an der Amstel spazierengehen mit Daniel, mit Büchern und Notizblöcken in der Tasche. Aber die Phase des Nachdenkens ist vorbei, ich muß jetzt hinter die Maschine. Es gibt keinen Aufschub mehr.

Laß uns für übermorgen etwas verabreden, sagt Daniel.

Erst einmal wieder ordentlich arbeiten. Ich meckere. Male mir aus, heute abend, nach einigen Stunden tippen, mit dir an den Strand zu gehen, wortlos auf das Wasser zu schauen, auf den Himmel, wie der seine Farbe verändert. Hör mal, sage ich, wenn das Wetter morgen so schön ist wie heute, gehe ich am späten Nachmittag wahrscheinlich ans Meer. Vielleicht möchtest du mit.

Nein, sagt Daniel, ich habe noch genug von der Sonne. Ich möchte mich lieber nicht verabreden, ich möchte mich lieber mal wieder um meine eigenen Sachen kümmern. Er hat schon eine Verabredung für morgen abend, schießt mir der unkontrollierte Gedanke in den Kopf. Ich versuche ihn zu verdrän-

92

gen, aber die Dämonen sind losgelassen. Ich will das nicht, ich will nicht eine sein, die fragt, wo warst du gestern abend, wo gehst du hin, mit wem. Ich will nicht hereinkommen und fragen, von wem hast du die Blumen, ich will nicht auf die Absender auf den Briefumschlägen gucken, die ich herumliegen sehe. Das bin ich nicht. Das ist ein Ungeheuer, eine Bestie von früher. Gut, sagt mein vernünftigeres Selbst, mein erwachsenes Selbst, laß uns erst einmal arbeiten. Dann sehe ich dich Freitag wieder. Ich komm noch mit dir längs, sagt Daniel, als ich meine Sachen packe. Aufschub des Abschieds. Wir gehen Hand in Hand, wie wir in Venedig herumgelaufen sind, nachts auf der Piazza San Marco und durch die engen Gassen. Worüber zerbrichst du dir den Kopf, fragt Daniel. Ich will nicht fragen, wohin er morgen abend geht, ob er schon eine Verabredung hat, ich will es nicht, ich will es nicht. Ich suche nach Worten. Ich möchte das Gefühl schon teilen, die Fragen nicht. Abschied, sage ich. Mich lösen. Es fällt mir schwer.

Abschied, schwieriger, weil wir sie uns selbst ausgesucht haben, diese Art zu leben. Wir könnten auch wie ein Ehepaar ineinander kriechen, keinen Abstand mehr spüren müssen, wie faule Tiere in der Sonne liegen bleiben oder in einem gemeinsamen Winterschlaf versinken. Wir könnten uns Garantien geben. Du bist die einzige. Wir könnten in der Wir-Form sprechen, wir könnten füreinander Entscheidungen treffen. Wir könnten uns in Besitz nehmen. Ich will das nicht, sage ich, aber das ist eine Entscheidung, an die sich die Ungeheuer nicht immer halten.

Du bist blaß, sagt Daniel, laß uns noch einen Kaffee trinken gehen. Wie hast du das früher gemacht, fragt er, wie hast du das mit Martha gemacht? Aber von Martha brauchte ich mich nicht loszureißen, da blieb meine Haut heil, lagen die Nerven nicht so bloß da. Bei Martha überlegte ich mir nie, was machst du morgen, mit wem, dachte ich nie darüber nach, wo sie ist, wenn ich um halb zwölf abends anrief und sie nahm nicht ab, oder um acht Uhr morgens. Ich hatte das Ungeheuer endgültig in die Flucht geschlagen, dachte ich. Endlich bin ich erwachsen, dachte ich. Aber vielleicht war es mir auch egal, was sie machte. Und nun sitze ich hier, in dem Café, Daniel gegenüber, voller Kinderleid. Du läßt mich allein. Ich bin nicht die einzige in deinem Leben. Ich muß selber lachen, über den Unsinn aller dieser alten Gefühle, wir sind nun schon ein Jahr zusammen, und bei jedem Abschied sind wir wieder aufeinander geflogen, mit niemandem habe ich so häufig das Bett geteilt, seit meiner Heirat nicht mehr. Niemand weiß soviel über mich. Niemand sieht so schnell, daß ich blaß geworden bin, mich eingeigelt habe und mit den Dämonen kämpfe. Und niemand weiß soviel von dir, sieht den Angstschweiß deine Schläfen herunterlaufen, kennt deinen Körper so gut. Du müßtest bescheuert sein, wenn du mich laufenlassen würdest, das weiß ich. Aber mach das einmal den Ungeheuern klar.

Erinnerst du dich an das Mal, als ich dachte, daß du einen anderen Liebhaber hast, fragt Daniel.

Diesmal last du einen Artikel, den ich gerade veröffentlicht hatte. Ich bedankte mich darin bei einem Mann. Sie werden wieder sagen, daß das mein neuer Liebhaber ist, sage ich, während ich meine Post durchgucke, einen komplizierten Brief lese. Dein neuer Liebhaber, sagt Daniel mit dünner Stimme. Ja, sage ich, das sagen die doch immer, wenn ich den Namen eines Mannes nenne? Ich schaue ihn über meinem Brief hinweg an. Und sehe, daß er mich erstarrt ansieht. Hast du noch einen Freund, fragt Daniel tonlos.

Ich sehe ihn an, es dauert, bis es zu mir durchdringt, was er fragt. Nein, nein, nein, natürlich nicht, platze ich heraus, erstaunt. Wie kannst du das denken, wie kannst du das nur denken. Das gibt es doch nicht. Daniel lacht. Ich dachte wirklich, daß es so sei, sagt er. Na ja, es wäre doch möglich?

Es wäre nicht möglich. Nicht weil ich es dir versprochen

hätte, ich habe nichts versprochen. Ich hätte keine Zeit dafür, ich hätte keine Lust auf all die Komplikationen, die kenne ich jetzt schon gut genug. Ich will schreiben können und mich nicht die ganze Zeit mit Beziehungen beschäftigen, aber es ist noch mehr als das. Ich würde es nicht können, weil mein Körper es nicht will, er steht auf dich, er macht es nicht für einen anderen. So einfach ist das.

Es war damals, als ob mir der Boden unter den Füßen weggezogen würde, sagt Daniel. Er rührt seinen Espresso um. Das Feuchte hinter meinen Augen verschwindet wieder. Die Ungeheuer verwandeln sich in Haustiere, lästig, aber vertraut, sie gehören dazu. Und am nächsten Tag liegt die Karte da, Jakob Israel de Haan: Immer Trennung, immer wieder Begrüßen, getrieben von Verlangen und Verlust.

12

In Volterra bin ich zu Hause. Ich mag die trockene Hitze, die trockene Landschaft der Toskana, die gelbe Erde der gepflügten Äcker und Weingärten, die Furchen und Zypressenreihen zeichnen sich ständig verändernde graphische Muster. Kein einziges Foto, das wir machen, reicht an die Wirklichkeit heran, die Hitze der ausgeblichenen Farben, der Klatschmohn in verschossenem Rosé, der helle Nebel, der über der Ferne liegt, der fast weiße Himmel mitten am Tag, die Stille, wenn jede Bewegung verlangsamt scheint, jedes Geräusch gedämpft ist. Aber mein Verstand ist klar, klarer als in der feuchten Wärme an der Küste. Ich blicke morgens von dem Hügel, auf dem unser Zelt steht, auf Volterra, sandfarben, und abends auf die andere Seite, über die alte Etrusker-Mauer hinweg über das tiefe Tal, auf eine atemberaubende Verfärbung ins Perlmuttene. Schwalben fliegen tief im letzten Licht des Tages, Fledermäuse tauchen auf, schnell wird das Licht jetzt tiefblau, auf der anderen Seite erscheint ein magerer, bleicher Mond über Volterra, und wir sehen, wie dort die Lichter angehen.

David hockt am Tag unansprechbar unter seinem Sonnenschirm und liest die Science-fiction-Bücher, die Daniel und ich auf unseren Streifzügen für ihn aufstöbern. Ab und zu, wenn er mit Daniel allein loszieht, vergißt er für einen Moment, daß er die Sonne nicht mag, aber es gelingt auch seinem Vater nicht immer, ihn von seinem Stuhl loszueisen, ihn aus dem kleinen Stück Schatten herauszulocken, das mittags noch winziger geworden ist.

Wenn die Sonne untergegangen ist, erwacht Daniel zum Leben, wie eine Fledermaus oder wie Graf Dracula persönlich fängt er an, mit flatternden Armen um das Zelt zu rennen und will Badminton und alles mögliche spielen. Halb schlafend versuche ich ihm Gesellschaft zu leisten, bei unserer durchgehenden Schachpartie, im Licht einer kleinen Lampe auf dem Campingtisch, träge von dem Essen und beschwipst von dem Wein, gesättigt von der Hitze des Tages, von dem sinnlichen Gefühl des Untertauchens im kalten Wasser des Schwimmbads mit einer sonnenverbrannten Haut, gesättigt auch von allen Bildern.

Ich lese aus dem Reiseführer vor, über Massa Maritima, wo wir morgen hinfahren, über die Maremma, früher ein gefährliches Sumpfgebiet, wo die Menschen an Malaria starben, «*Tutti la chiaman maremma amara,* alle nennen sie die bittere Maremma, ich habe dort meine Geliebte verloren und zittere jedesmal, wenn du dorthin gehst, aus Angst, du könntest nie mehr zurückkehren.»

In Massa Maritima ist ein Fest im Gange, sehen wir, als wir hineinfahren. Die Straßen und Cafés sind voll von Leuten, an langen Holztischen werden Mahlzeiten zubereitet. Einige Männer mit Holzbogen kommen vorbei, die sie wie Babies im Arm tragen. Etwas weiter oben sehen wir Männer sitzen, auf kleinen Holzgestellen, die Bogen vor sich hingelegt: durch das Visier starren sie auf die schwarzen Kreise an den Holztafeln, die ihre Pfeile mit den eisernen Spitzen treffen sollen. Wir sind mitten in ein Bogenschützenfest hineingeraten, ein Wettbewerb zwischen den verschiedenen kleinen Städten der Region.

Wir wühlen uns durch die Männer durch, die ihre Gerätschaften putzen, alte Kreuzbogen von fast mittelalterlicher

Form, jeder Bogen anders als der des Nachbarn, verziert mit feinsten Holzschnitzarbeiten.

Sie werden gehätschelt und gestreichelt, geputzt, geölt, das Visier wird versetzt, hingebungsvoll, langsam und geduldig wird der Pfeil zurechtgelegt und die Feder gespannt; dann werden sie mit ausgebreiteten Armen zu den Gestellen getragen. Wenn sie so mit ihren Frauen und Kindern umgehen würden, bräuchten die sich nicht zu beklagen, sage ich zu Daniel.

Da siehst du mal, daß auch Männer zärtlich sein können, sagt Daniel ironisch, kurz bevor sich der Pfeil mit der schweren Eisenspitze mit einem mörderischen Knall in das Holz bohrt.

Wir bahnen uns einen Weg durch die Menge, die sich nun auf den Stufen der Kathedrale versammelt hat. Auf dem Ehrenpodium sitzen in mittelalterlicher Tracht die Honoratioren des Ortes. Falsch schmettern die Posaunen los. Wir suchen uns ein Restaurant mit einem Garten, wo das dichte Laub der Bäume uns Schatten spendet. Ein englisches Ehepaar, ein älteres italienisches Ehepaar. Es ist auf einmal still, ohne das anfeuernde Geschrei der vielen Italiener, das nach jedem Pfeil, der das Ziel trifft oder verfehlt, einsetzt. Die Fliegen summen, das Zirpen der Grillen wirkt einschläfernd. Ein schweigender Ober bringt uns Wein. Sagt uns, was wir essen können. Das ältere Ehepaar neben uns hängt auch schon etwas schief auf den Stühlen, von der Hitze, von der Müdigkeit und vom Wein. Die Frau murmelt einen sanften Protest, als ihr Mann es schafft, den letzten Schluck aus einer Literkaraffe mit einiger Mühe in sein Glas zu manövrieren, und mit noch größerer Mühe, ihn in sich hineinzuschütten, aber als sie mühsam aufstehen, muß auch sie sich an der Mauer festhalten, um noch einigermaßen aufrecht den Garten zu verlassen. Auf dem Weg zu ihrer Siesta.

98

Wir sind irgendwie in ein Gespräch über unsere Arbeit geraten, über das Schreiben. Daniel schreibt auch, Fachliteratur, ich sehe, wie er, wenn er arbeitet, durch die gleichen Phasen geht, die ich kenne. Vorher die mürrische Unruhe, wenn der Motor sich warm laufen muß, der Kampf gegen die inneren Widerstände, jede Entschuldigung, die benutzt wird, um dem weißen Papier und der wartenden Maschine zu entkommen. Dann die Unbestimmtheit, die Trance, wenn die Arbeit angefangen hat, Augen, die mitten in einem Gespräch nach innen gerichtet scheinen, oder plötzlich ein unaufhaltbarer Redestrom, der sich nicht mehr an mich, sondern gegen mich richtet. Und dann ab und zu die Euphorie, wenn es gelingt und man das Gefühl hat, etwas geschafft zu haben, was größer ist als man selbst, und wenn es auch nur ein Satz ist, ein Gedanke. Wir sind beide kreative Menschen, einen Tick asozial, wenn wir uns vor der Welt abschließen, um arbeiten zu können. Wie schön, daß wir beide so gut wissen, wie das ist. Aber es gibt auch Unterschiede. Ich bin nicht halb so ehrgeizig und getrieben wie du, sagt Daniel. Sie müssen mich immer ein bißchen zwingen, damit ich ein Produkt zustande bringe, sonst fange ich gar nicht erst an. Ich mache lieber aus meinem ganzen Leben ein Kunstwerk. Und was mich angeht, niemand braucht zu sehen, daß ich das mache. Lieber nicht, eigentlich. Was ist es eigentlich, das dich so treibt, fragt er mich mit Interesse, nicht mit dem Unterton von Ablehnung, den ich so oft in diesem Land höre, wo die Königin regelmäßig Fahrrad fahren muß, um zu beweisen, daß sie ganz normal ist, und jedes Buch, jeder Film, jedes Musikstück, das jemand macht, mit Mißtrauen betrachtet wird. Die ist wohl auf 'nem Egotrip, die arrogante Ziege, die denkt bestimmt, daß sie was Besseres ist als andere. Muß sie denn unbedingt in die Zeitung, sagen die Leute, die sich die Interviews und Talkshows reinziehen. Aber ich weiß nicht so genau, was mich treibt. Beifall ist es nicht, dem entgehe ich lieber, denn Bewunderung ist immer nur die dünne

Schicht über der Aggression, weiß ich heute. Und was die Leute von mir halten ist mir egal. Aber ja, es steckt etwas Lustvolles im Schreiben, als ob es mein Leben erhebt, und nein, es reicht nicht aus, etwas zu schreiben und es dann in der Schublade verschwinden zu lassen. Ich will es sehen, in viereckigen Stapeln, die nach frischer Druckerschwärze riechen, bevor ich mein Interesse verliere, weil ich wieder ein neues Werk begonnen habe. Sollte es anders sein für Leute, die Musik machen oder malen?

Ich glaube, daß ich irgendwann einmal ein Buch über dich schreiben werde, sage ich zu Daniel. Der verschluckt sich beinahe an seinem Mozarella und greift nach dem Glas Chianti.

O Gott, sagt er, ich glaube sogar, daß du es ernst meinst.

Würdest du das nicht toll finden, frage ich.

Es ist ein großes Geschenk, weißt du, sage ich, und mache unwillkürlich die Geste, die Hilde mich immer machen ließ, wenn ich vom Kummer blockiert war, die Hände offen, Handflächen nach oben, schau, das ist das Beste, was ich habe, es ist für dich. Selten verfehlte diese Geste ihre Wirkung, mich in Tränen ausbrechen zu lassen, über all die Male, die ich da gestanden hatte, mit dem Besten, was ich hatte, vor meiner Mutter, vor meinem Vater, später vor den Menschen, die ich mochte, die mich verließen und nicht sahen, was ich ihnen anbot. Die ersten häßlichen Aschenbecher aus Ton, in die ich all meine kindliche Liebe gelegt hatte, die späteren Angebote von großen Gefühlen und großer Treue. Absolut unmodern in der Zeit, als man Sex austauschte, als Freundschaftsdienst, und niemand ohne das Gesicht zu verziehen das Wort Liebe aussprechen konnte. Wie kommst du darauf? Toll, sagt er, toll. Du weißt, wie ich bin, am liebsten nirgendwo registriert, nicht auffallen, vor allem nicht auffallen, mit allem, was schwarz auf weiß auf Papier steht, kann man mich packen. Und du fragst, ob ich es toll finde. Ja, schmeichelnd finde ich es natürlich schon, sagt er, und jetzt schiebt sich ein anderer Ausdruck über sein Gesicht, ja, natürlich, es hat schon was, der Stoff für ein Buch zu sein, es ist ja auch eine Form von Unsterblichkeit. Aber macht es etwas aus, wie ich es finde? Meiner Meinung nach bist du doch nicht aufzuhalten. Ich male ihm aus, was ich möchte. Ein kleines Buch, ein leidenschaftliches Buch. Eben kein Gejammere über Unterdrückung, wie in ‹Die elfte These›, kein Klagen wie in ‹Die zweite Sünde›, sondern eine kleine Geschichte einer großen Liebe. Eine Alba, sage ich, kennst du das? Die Tagelieder über die Liebe, die eigentlich nicht erlaubt ist. Die Geliebten, die sich in den Armen liegen und hoffen, daß das Tageslicht nicht anbricht, denn dann fängt die Welt wieder an sich einzumischen, und dann zeigt sich, daß sie nicht sein darf, die Liebe.

Ein Buch voller Schwermut und Passion. Ein Buch aus Perlmutt.

Ich grinse, in meinem Kopf fangen die ersten Sätze an zu singen. Es geht automatisch, Daniel, sage ich, ich kann nichts dafür.

Ich sehe es, sagt Daniel, mit einem Ausdruck zwischen Ehrfurcht und Abscheu. Das ist typisch für dich: nicht wollen, daß die Welt sich einmischt, aber trotzdem ein Buch darüber schreiben. Vielleicht kannst du es ja auch gleich noch verfilmen lassen.

Auf dem Rückweg im Auto fische ich das schwarze Buch mit meinen Aufzeichnungen aus meiner Tasche. Du, hör mal, sage ich, Achterberg. Schade, daß er so ein Frauenhasser war, den kann ich als Feministin nicht benutzen, aber wie schön:

> Tag, überlasse mich der Nacht.
> Bei Tageslicht muß ich mich verkaufen
> an vieler Augenaufschlag
> und bin ein anderer als ich dacht.

Meine Hand ruht zwischen seinen Schenkeln, es bewegt sich etwas unter meiner Handfläche, wie ein Kind, das sich im Schlaf umdreht.

13

Es ist wieder Sonntag. Wir werden vom Läuten der Glocken geweckt. Du reckst dich neben mir, geliebter Körper. Der Flaum auf deiner Brust und deinem Rücken, die glatten Seiten, dein Geschlecht wie ein nacktes, freundliches Reptil in einem Nest aus Haar. Ich strecke meine Hand danach aus, um das Tier zu streicheln und zu sehen, was es will. Ich betrachte deine Augen. Wie sehen sie aus an diesem Morgen? Wehmut entdecke ich. Ist es nicht ein Jahr her, daß deine Mutter starb, frage ich.

Ich glaube schon, sagst du.

Es war ein merkwürdiger Sommer, der Sommer nach dem Sommer in Portugal, der Sommer vor dem Sommer, in dem ich mit Daniel und David nach Italien fuhr, der Sommer, in dem deine Mutter starb. Schon sechs Monate vorher hatten wir mit den Verhandlungen begonnen. Wer fährt mit wem in den Urlaub und wann? Natürlich will ich auch mit Daniel verreisen. Das einzige Wochenende, an dem es uns gelungen war wegzukommen, schmeckte nach mehr. Vielleicht können wir ja mal für zehn Tage oder so wegfahren, sagt Daniel, ich wollte immer schon mal die Loire hinunterfahren. Aber Daniel macht auch mit Dorian Urlaub, und dann sind da noch seine beiden Söhne: David und Elias. Ihre Mutter hat einen neuen Freund, und die beiden haben auch so ihre Wünsche, ohne Kinder zu verreisen. Und dann gibt es ja auch noch meine Seite in diesen ganzen Verflechtungen. Mein Sohn scheidet schon mal aus, der ist zu groß. Martha und ich, Martha und Paul; Paul hat auch noch eine Freundin, die verheiratet ist und Kinder hat. Das müßte es sein, soweit ich die Fäden verfolgen kann. Wir schmeißen den ganzen Kram einfach in einen Computer, sage ich, denn wir haben noch nicht einmal darüber geredet, wer auf wessen Katzen aufpaßt. Aber Martha trägt sehr zu einer Vereinfachung bei, indem sie kurz vor den Ferien unsere Beziehung beendet. Aus. Mit einem derartigen Wust aus alten Vorwürfen, verschwiegenen Kränkungen und wütender Kritik, daß die Frage, ob wir noch einmal darüber sprechen sollten oder nicht, überhaupt keine Rolle mehr spielt. Wütend sitzt sie mir gegenüber, und auch ich bin wütend, daß sie die ganzen Jahre so getan hat, als könnte sie das alles nicht kratzen. Wofür waren dann die ganzen Sonntagvormittage im letzten Jahr gut, als ich vorsichtig versuchte, das Gespräch in Gang zu halten oder in Gang zu bringen und immer wieder fragte, ob es für sie noch in Ordnung ist. Sie zuckt mit den Schultern. Hatte sie etwa gehofft, daß Daniel eine Plage ist, die schon wieder vorübergehen würde, die sie würdevoll und schweigend aussitzen könnte, so wie sie Pauls Freundinnen ertragen hatte, solange sie nur nicht zu viel davon mitbekam? Sie schweigt. Und geht.

Erleichterung. Und noch ein wenig Traurigkeit, wenn ich an unseren alten Traum denke, daß wir – ganz gleich, was auch kommen mag – immer Freundinnen bleiben würden, unabhängig von allen anderen Beziehungen. Hat nicht geklappt. Ich gehe die Liste meiner Freundinnen durch, der gemeinsamen Freundinnen, die wissen müssen, daß wir auseinander sind. Natürlich ist keine von ihnen wirklich überrascht. Ihr hättet lieber gleich auseinandergehen sollen, gleich nach Portugal, sagt eine. Dann hätte sich nicht alles so aufgestaut, und ihr hättet euch heute noch treffen können.

Es war eigentlich schon vor ungefähr einem Jahr vorbei, sagt eine andere. Sonst hättest du doch nichts mit Daniel angefangen, sonst hätte sie doch nicht auf Paul zurückgegriffen? Und vorsichtig pendeln sie zwischen uns hin und her, die Freundinnen, denn wir leben in einer Zeit, in der man bei Trennungen keine Partei ergreift, und außerdem gehören wir alle derselben Bewegung an. Möbel kann man aufteilen, um ein Haus kann man sich streiten, aber eine Vermögensauseinandersetzung um eine Bewegung, das geht schlecht, das weiß ich.

Daniel und ich fahren an die Loire. Dorian hatte es sich aussuchen können, was sie lieber möchte, mit Daniel und seinen Söhnen verreisen oder mit ihm allein. Ich möchte auch gern mit dir und deinen Kindern zelten, hatte ich gesagt, aber Dorian gefiel die Vorstellung überhaupt nicht, daß ich die Beziehung zerstöre, die sie gerade zu Daniels Kindern aufzubauen versuchte. Die Vorstellung, daß ich mit Daniel allein nach Frankreich fahre, ist nicht ganz so schlimm, obwohl ihr das natürlich auch nicht gefällt. Das kann ich mir ungeheuer gut vorstellen, denn ich freue mich schließlich auch nicht besonders auf die Wochen, in denen sie mit Daniel Urlaub machen wird. Und daß Martha sich aus dem ganzen Durcheinander herausgezogen hat, beruhigt sie nicht im geringsten.

Daniel kommt ganz schön ins Schwitzen und versucht einen klaren Kopf zu behalten. Als ich ihn frage, was *er* denn nun eigentlich möchte, fährt er aus der Haut. Warum, was *ich* möchte. Ich tue die ganze Zeit nichts anderes als zu versuchen, herumnörgelnden Leuten ihren Willen zu geben. David, Elias, Dorian und dir, ich muß auch noch an meine Mutter denken, ich tue schon das Menschenmöglichste, um diesen Haufen in Schach zu halten. Noch nie habe ich so schuften müssen. Wenn ich mir nun auch noch überlegen soll, was *ich* will, dann haut gar nichts mehr hin.

Wir fahren an die Loire. Ohne die Kinder. Daniel hat entlang der Route, die er sorgfältig abgesteckt hatte, Hotels reserviert. Olivet, Amboise, Chinon. In den zehn Tagen, die wir haben, sitzen wir unter etwas betagteren Leuten in Gartencafés an der Loire, wir schauen, wenn wir beim Aufstehen die Türen zum Balkon öffnen, den Vögeln zu, die flach über das Wasser fliegen. Wir kosten Weine und besichtigen Schlösser. Lieben uns träge in einem Kornfeld, wo wir uns nach dem Mittagessen zu einem kurzen Nickerchen hingelegt hatten. Der vergangene Glanz der alten Hotels, das von alten Bäumen grün gefärbte Licht, das über dem Wasser liegt. Und über allem das Bewußtsein, daß es nur kurz dauern wird. Als wir abends auf einem Platz in Amboise sitzen und den letzten Kaffee und Cognac trinken, geht Daniel zur Telefonzelle, um Dorian anzurufen. Ich betrachte seinen Rücken, während er da steht und spricht, seine weiße Jacke.

Na, wie geht es ihr, frage ich, als er zurückkommt. Es könnte besser sein, aber ich glaube, es geht schon, sagt er. Schweigend blicken wir über den Platz, wo die Stühle schon zusammengestellt und die Steine gefegt werden. Eine späte, leicht angetrunkene Gesellschaft poltert vorbei, die zu lauten Stimmen hallen von den Häusern wider, alle Läden sind schon geschlossen. Komm mit ins Bett, sage ich, denn mir ist kalt geworden und ich möchte ihm seine Jacke ausziehen, sein Hemd, seine Hose und mich an seiner Haut wärmen, mich satt sehen an ihm, im Schein einer Nachttischlampe, die rosafarbene Schatten auf unsere Körper wirft. Niemand weiß, wo wir sind. Niemand kann uns finden.

Es liegen einige Tage zwischen unserer Rückkehr aus Frankreich und Daniels Abfahrt in die Schweiz, mit Dorian, mit David und Elias und noch zwei langen Bengeln, die mitfahren, damit sich Elias und David nicht zu sehr langweilen. Beinahe scheint es zu klappen. Als wir bei Daniel zu Hause ankommen, liegt dort eine Nachricht, daß seine Mutter krank und ins

Krankenhaus eingeliefert worden sei. Ich habe mit nichts gerechnet in diesen Tagen vor ihrer Abreise, denn Dorian hat ihn zehn Tage lang nicht gesehen, und ich erwartete, daß sie ihn mit Beschlag belegen würde. Aber Dorian ist wie ich, sie hat keine Lust, ihn voll in Besitz zu nehmen, solange ihm noch mein Geruch anhaftet, und so bleiben doch einige Stunden für mich übrig.

Ich gehe meine Mutter im Krankenhaus besuchen, sagt Daniel, willst du mitkommen?

Ich will.

Ich habe sie noch nie gesehen, Daniels Mutter, wie ich überhaupt sehr wenige seiner Freunde kenne. Er ist vorsichtig damit. Denn nach so vielen Jahren sind einige seiner Freunde auch Dorians Freunde. Daniels Mutter liegt in einem Bett. Sie hat einen Verband um ihre eine Augenhöhle, aus der gerade das Auge entfernt worden ist. Es war eine schwierige Entscheidung, sagt der Arzt. Eigentlich kann sie keine Operation mehr verkraften, aber wir konnten das Auge auch nicht drinnen lassen. Wir hoffen, daß sie sich wieder berappelt, aber es sieht nicht sehr gut aus. Ihr Herz ist schwach, ihre Lungen funktionieren nicht mehr richtig, möglicherweise ist eine alte Jugend-Tbc wieder aufgebrochen.

Tag, Mädchen, sagt Daniel zu seiner Mutter, und streichelt ihr sanft über die Wangen. Sie schaut mit einem blauen Auge zu Daniel hoch und murmelt etwas in unverständlichen Worten. Das ist meine Freundin, sagt er, als sie ihr Auge auf mich, halb von Daniel verdeckt, richtet. Nein, nicht Dorian, sagt er, eine andere. Dorian kommt bestimmt auch noch vorbei. Wir setzen uns neben ihr Bett. Daniel streicht ihr das weiße Haar aus dem Gesicht, streichelt ihren Arm an den Stellen, die er erreichen kann, wo keine Pflaster und keine Infusionsschläuche sitzen und redet sanft mit ihr weiter, wie mit einer Katze. Als wären die Worte egal und nur die Stimmlage wichtig. Es ist nicht leicht, was, sagt er, aber sie gibt ihm keine Antwort, wird ruhiger und versinkt in einen Dämmerschlaf.

Sie war ein schrecklicher Mensch, erzählt er mir danach. Fürchterlich. Ich habe entsetzliche Schwierigkeiten mit ihr gehabt, als ich klein war. Aber in den letzten Jahren ist sie viel milder geworden, viel sanfter. Ich bin froh, daß ich sie auch noch so erlebe. Ich schlug sehr nach meinem Vater, und in dem Machtkampf nach ihrer Scheidung hat das immer eine Rolle gespielt. Aus dir wird nichts, sagte sie. Aber sie hat kein einfaches Leben gehabt. Als Nicht-Jüdin deutscher Herkunft, im Krieg mit einem niederländischen Juden verheiratet. Für die einen war sie eine Moffin, ein Deutschenliebchen, für die anderen eine Judenhure. Selbst wußte sie genau, wo sie stand, sie wollte mit der deutschen Besatzung nichts zu schaffen haben. Und sogar als es zwischen ihr und meinem Vater am schwierigsten war, habe ich von ihr nie eine antisemitische Äußerung gehört, ganz gleich wie deutsch sie auch war, mit ihrer Vorstellung, daß es zwei Arten von Menschen gibt, Menschen aus Stahl und einfache Menschen.

Ich erinnere mich noch, daß wir im Krieg von einem ihrer deutschen Neffen Besuch bekamen, der kam in seiner Uniform herein, stellte seine Mauser mit einem Knall in die Ecke. Er gehörte lediglich der Wehrmacht an, nicht der SA oder der SS, und hatte sich gedacht, wenn ich sowieso schon einmal hier bin, kann ich doch mal kurz meine Tante besuchen. Meine Mutter saß da, mit rotem Kopf, der Kerl muß gewußt haben, daß seine Tante mit einem Juden verheiratet war. Sie wußte nicht, wie sie ihn schnell wieder aus dem Haus bekommen sollte.

Es hat sie sehr einsam gemacht, auch nach dem Krieg. Sehr verbittert, keine Freunde. Weißt du, was sie einmal gemacht hat, sagt er und bricht plötzlich über die Erinnerung in schallendes Gelächter aus, als sie sich nicht mehr allein versorgen konnte und wir sie in ein gutes Altersheim bringen wollten? Wir dachten, daß sie sich im Henri-Polakhuis, einem jüdischen Altersheim, sicher zu Hause fühlen würde. Aber es gefiel ihr ganz und gar nicht. Sie konnte aber auch nicht mehr sagen, was ihr nicht gefiel. Also, weißt du, was sie machte? Sie fing an, im Gemeinschaftsraum ‹Deutschland, Deutschland über alles› zu singen. Da haben wir sie lieber schnell in einem anderen Heim untergebracht.

Sie wird nicht mehr lange leben. Sie hat ein zu schweres Leben gehabt. Der Krieg. Die Scheidung. Immer zu wenig Geld. Jahrelang hat sie sich als Putzfrau etwas dazuverdienen müssen. Ich hätte ihr noch ein paar Jahre gegönnt, aber ich glaube nicht, daß das noch drin liegt. Und sie hat auch schon begonnen, Abschied zu nehmen. Ich bin noch einmal mit ihr hinausgefahren, bin mit ihr die Amstel entlanggefahren, als die Bäume gerade schön grün waren. Als ich neben mich sah, weinte sie. Ich glaube, daß sie wußte, daß es das letzte Mal war. Sie hat auch ihren Schmuck zurückgegeben. Ich hatte ihr oft etwas mitgebracht, Ketten und Silberarmreifen, die hat sie sich dann immer alle umgehängt, wenn ich zu Besuch kam. Aber auch davon hat sie sich getrennt.

Die Situation ist stabil, hat der Krankenhausarzt gesagt. Sie liegt auf der Intensivstation, zwischen einer Unmenge von Leitungen und dem leisen Bliep, Bliep des Herzmonitors. Mehr können wir nicht tun, sagt der Arzt. Es kann noch Wochen dauern, es kann sein, daß sie sich wieder erholt. Wir wissen es nicht. Daniel ist hin- und hergerissen. Soll er nach all den anstrengenden Vorbereitungen für die Ferien nun hier bleiben? Im Juli, mit vier Jugendlichen, die sich langweilen und die fest damit gerechnet hatten, in Urlaub zu fahren, mit Dorian, die noch keinen Urlaub gehabt hat, während er schon mit mir weggewesen ist? Er beschließt, zu fahren und jeden Tag mit dem Krankenhaus zu telefonieren.

An dem letzten Tag, bevor er abfahren wird, helfe ich ihm bei den Vorbereitungen. Zehn Pakete Apfelsaft für unterwegs, Streu für das Katzenklo und Katzenfutter für die Frau, die seine Katzen in der Zeit, in der er weg ist, versorgen wird. Bevor er geht, rennen wir noch einmal zum Bett, um uns zu lieben. Dann winke ich ihm nach, sein Fahrrad ist vollbepackt mit Katzenstreu und Apfelsaft. Als er sich umdreht ūnd mir zuwinkt, verliert er das Gleichgewicht und fährt beinahe gegen einen Pfahl.

Plötzlich liegen drei Wochen Sommer vor mir, ohne irgendeinen Plan. Die Wochen, die ich sonst mit Martha verbracht hätte. Niemand weiß, daß ich in Amsterdam bin, alle sind weg. Was werde ich tun?

Ich kann früh zu Bett gehen, mit dem Fernseher neben mir. Ich kann an den Strand gehen, ich kann wieder durch Bergen bummeln, wo ich die Wege kenne. Ich kann auch die Schränke aufräumen, endlich die Bücher ordnen, die Stapel Papier sortieren. Die Wände streichen. Ich kann mir das spannendste Buch aus dem Stapel heraussuchen und es ungestört in einem Stück durchlesen. Ich kann auch aufhören, zwanghaft den nächsten Tag zu planen, und sehen, wozu ich Lust habe, wenn ich aufwache. Es ist ein seltsames Gefühl, so viel Zeit, die nicht verplant ist, vor mir zu haben, ohne Verpflichtungen. Ich bin es gar nicht mehr gewohnt. Sonst arbeite ich immer sehr viel, treffe mich oft mit Freundinnen und habe immer wieder die nächste Verabredung mit Daniel. Ob es mir wohl gefallen wird?

Ich habe es immer gern gemocht, allein zu sein, mit einem kleinen Entrecôte, die Wochenzeitungen um mich herum auf dem Fußboden verstreut und dreimal dieselbe Schallplatte abzuspielen. Aber Urlaub ist etwas anderes. Früher war es die Zeit der großen Depressionen, zusammen mit den Sonntagen.

Und nicht ohne Grund. Denn war ich nicht das typische Beispiel für die Freie Frau im Übergangsstadium des Spätpatriarchats? Liebhaber, sicher. Aber die Liebhaber, die mich wegen meiner Freiheit so schätzten, hatten eine Familie. Eine vollständige Familie, nicht so eine halbe wie ich. Und in den Sommermonaten hockten sie also mit ihren Familien auf einem Campingplatz oder in einem gemieteten Haus in Südfrankreich, während mein Sohn in einem Ferienlager und alle meine Freundinnen unterwegs waren. Schrieben mir Briefe, daß sie mich vermißten und daß sie sich wünschten, dort mit mir zu sitzen. Aber sie änderten nie etwas. Wenn ich zurück bin, können wir vielleicht übers Wochenende nach London (oder Paris oder Texel) fahren, schrieben die Liebhaber. Du verstehst das doch sicher, nicht? Wir müssen es ja nicht auf die Spitze treiben. Für Emmy (oder Therese oder Gesine) ist es auch nicht einfach. Und ich verstand es, wenn auch zähneknirschend.

Es war nicht meine Rolle, Forderungen zu stellen, das taten Emmy, Therese und Gesine schon. Wenn ich Forderungen stellte, war es sofort vorbei. Mit mir. In dieser Zeit bedeutete alleinstehend noch alleinstehend, nicht *single*. Es war noch nicht modern, noch nicht als Alternative entdeckt. Und vielleicht kam es mir auch nur so vor, aber alles in meiner Umgebung bewegte sich zu zweit, mit oder ohne Kinder. Ordentliche Paare, am Sonntag mit Blumen auf dem Weg zur Schwiegermutter oder keimfreie Paare mit geschniegelten Kinderchen. Paare. Nicht umsonst fiel meine Analyse der bürgerlichen Familie als Grundstein des patriarchalen Kapitalismus (Kapitel sechs aus ‹Die elfte These›) so böse aus. Ich haßte sie.

Ich wartete auf die Depression, aber sie blieb aus. Ich schlief hauptsächlich. Ich wachte spät auf, der Tiefschlaf zog mich immer wieder von neuem nach unten, bevor er mich endgültig freigab. Schlaftrunken trinke ich meinen Tee, packe ein paar Sachen zusammen und steige in den Zug nach Zandvoort.

111

Nicht links den Strand hinunter, wo ich kurz vor den Ferien noch Streit mit Daniel hatte, als sich herausstellte, daß meine zwei Wochen Urlaub mit ihm auf zehn Tage zusammengeschrumpft waren und sich die beiden Wochen mit Dorian und den Kindern zu drei ganzen Wochen ausgewachsen hatten. Was macht das schon aus, sagte Daniel hilflos, es ging einfach nicht anders, es geht doch nur um ein paar Tage?

Drei Wochen, das sind 21 Tage, das ist zweimal so viel wie zehn, ich kann zufällig noch ganz gut rechnen, sage ich böse, kindisch, und hasse mich selbst dafür, daß ich mich darüber so aufrege. Und ich laufe weg, links den Strand hoch, um mich erst einmal auszumaulen. Daniel joggt hinter mir her, mit seinen Schuhen voller Sand, die er nicht ausziehen will, weil er mich sonst aus den Augen verliert und ich verschwunden bin. Ich schmolle, bis ich es lieber wieder lasse, denn an diesem Abend geht er wieder zu Dorian, und dann sitze ich da und quäle mich nur, mit einem nicht ausgetragenen Streit. Also rechts den Strand hinunter, wo ich mir eine Liege miete und gleich wieder einschlafe, noch bevor es mir gelungen ist, mich in die Morgenzeitung zu vertiefen.

Ich erwartete nicht, daß Daniel mir schreiben würde. Wenn er mit Dorian unterwegs ist, ist er mit Dorian unterwegs. Und von uns beiden bin ich diejenige, die immer schreiben muß, die Briefe schreibt, wenn ich ihn einen ganzen Tag nicht sehen werde, die auf seinem Kopfkissen Zettel hinterläßt, die es nicht lassen kann, aus Konferenzorten Ansichtskarten zu schicken, auch wenn ich nur für ein Wochenende dort bin. Ich bin festentschlossen, nicht zu Hause zu bleiben, für den Fall, daß er anruft. Telefongespräche haben immer etwas Unbefriedigendes, seine Worte klingen flach und leer, wenn ich seine Augen dabei nicht sehe und ihn nicht berühren kann. Und er ist auch kein Mensch, der große Worte macht, die großen Worte kommen von mir.

Daniel ist weg. Mit Dorian, aber es ist, als machte es mir nichts aus in diesen schwerelosen Wochen. Ich habe frei, frei von den Spannungen, von den Stimmungswechseln, frei vom Immer-wieder-Abschied-nehmen-Müssen. Ich schlafe.

Eines Morgens ruft er an. Ich fahre aus einem nicht enden wollenden Traum hoch, der die Angewohnheit hat, das Klingeln in eine wirre und unlogische Geschichte einzubauen, in der viele Leute vorkommen. Jemand, den ich nicht kenne, sagt in meinem Traum, daß es Daniel sei, der anruft, wer sonst außer Daniel weiß, daß ich hier bin. Und noch im Traum, oder bin ich schon wach, greife ich zum Telefon. Tag, sagt Daniel, als riefe er von der nächsten Ecke aus an. Geht's dir gut? Ich murmle irgend etwas von Sonne und Strand und viel Schlaf. Viel habe ich nicht zu erzählen, es geschieht ja nichts, ich sehe niemanden, es kommt – außer Kontoauszügen und einer einzigen Ansichtskarte, von Freunden aus Griechenland – oder war es Curaçao? – keine Post, in der Zeitung steht auch nichts und ich denke eigentlich auch an nichts. Und ich weiß nicht, ob ich es gut finde, daß er anruft. Nun sehe ich ihn wieder vor mir, in der Schweiz, mit Dorian. Ich hätte mich lieber an meinem leichten Rausch festgehalten, in dem die Einzelheiten des Lebens weit entfernt schienen.

Aber als ich seine Stimme höre, wird wieder alles in mir wach. Meinetwegen darfst du jetzt auch gern wieder zurückkommen, sage ich. Komm, küß mich lieber wach, am Strand. Laß uns lieber wieder Scholle essen gehen und Wein trinken und die Sonne untergehen sehen. Mhmm, sagt Daniel, als hätte er große Lust dazu. Dorian und die Jungen sind einkaufen, sagt er, ohne daß ich ihn danach gefragt hätte. Säckeweise müssen Lebensmittel herangeschleppt werden, um diese vier heranwachsenden Bengel vom ersten Magenknurren zu befreien. Es ist viel Arbeit. Aber manchmal auch sehr schön, sagt Daniel, und ich höre zwischen den Worten her-

113

aus, daß es nicht gerade sehr glatt läuft, und frage lieber nicht nach.

Würdest du mir einen Gefallen tun, fragt Daniel. Ich habe mit dem Krankenhaus telefoniert. Es geht meiner Mutter noch immer nicht sehr gut. Würdest du sie ab und zu besuchen, bis ich wieder zurück bin?

Als ich das Krankenhaus betrete, diesmal allein, erfahre ich, daß sie noch immer auf der Intensivstation liegt. Wer ich sei, werde ich gefragt, als ich sage, daß ich Frau Lieberman besuchen möchte. Welche Art von Verwandter. Aber bevor ich erklären kann, daß ich die Zweitfreundin ihres Sohnes bin, haben sie mich hereingelassen.

Ich hoffe, daß sie, wenn ich hereinkomme, nicht schreien wird: was will sie denn hier, ich kenne sie nicht, aber sie richtet ihr eines Auge auf mich, und ist, als die Krankenschwester mich als ihre Tochter ankündigt, für einen kurzen Moment erstaunt, scheint es dann aber doch in Ordnung zu finden. Sie ist unruhig. Ich fasse ihre Hand, die über der Decke nach irgend etwas sucht. Ist es Niederländisch oder Deutsch? Sitzen, verstehe ich, aber von Sitzen kann keine Rede sein, nicht bei den ganzen Schläuchen und Kontrollapparaten, an die sie angeschlossen ist. Ich streichle ihr über die Wangen, wie ich es bei Daniel gesehen habe, und sie seufzt zufrieden. Ich rede. Über Daniel, über Elias und David. Die bekannten Namen scheinen sie zu beruhigen. Als ich ihr erzählt habe, daß sie in der Schweiz sind, erzähle ich es ihr also noch ein zweites Mal und noch einmal. Es tut gut, von Daniel zu sprechen in diesen seltsam leeren Sommerwochen, seinen Namen zu nennen, ihn laut auszusprechen, dieser alten Frau gegenüber, die seine Mutter ist. Eine Krankenschwester kommt herein, um ihr eine Spritze zu geben. Sie schlägt das dünne Laken zurück, mit dem Daniels Mutter in dieser Sommerhitze zugedeckt ist. Sie protestiert, als sie umgedreht wird, fängt laut an zu meckern und verzieht ihr Gesicht zu einer wütenden Grimasse.

Aber das Personal hier hat den Auftrag, sie am Leben zu halten, und das tun sie.

Ihr Körper ist ein Schlachtfeld, voller blauer und gelber Flecken, ihre Haut zerstochen wie ein Nadelkissen, übersät mit nicht heilen wollenden Einstichen. Die Krankenschwester schüttelt den Kopf, wo soll ich jetzt bloß wieder hineinspritzen. Sehen Sie mal, sagt sie, und zeigt es mir, Ödeme, überall wo man spritzt, tritt einfach Flüssigkeit heraus.

Sie liegt wieder ruhig da, und dann auf einmal, hellwach, fängt sie an, an ihren Infusionsschläuchen zu ziehen. Sie behindern sie. Laß das lieber, sage ich, mach das lieber nicht, und halte ihre Hand, hole ein Tuch, um ihr die Lippen anzufeuchten und den Speichel abzuwischen. Aah, sagt sie und macht ihr Auge zu. Friedlich sitze ich neben ihr.

Am Strand suche ich wieder nach einer Liege, in einer Ecke, wo möglichst wenig einzelne Männer herumlaufen. Mit Daniel suche ich meist ein teureres Etablissement auf, aber unter dem Sexismus der einander auf Alter und Status taxierenden Leute fühle ich mich allein nicht wohl, nicht mit meinem beinahe 40 Jahre alten Körper, meinem verbrauchten Bauch, den verbrauchten Brüsten und meinen Schenkeln, deren Haut auch nicht mehr so straff wie früher ist, sondern eher etwas schrumplig wie ein zu heiß gewaschener Dralonpullover. In die schickeren Buden gehen allein offenbar Leute, bei denen der Lack noch nicht ab ist; Frauen, die den ganzen Tag nichts anderes tun, als sich einzufetten und sich rechtzeitig umzudrehen. Ich verstecke mich lieber zwischen den Amsterdamerinnen über vierzig, mit Maßen über vierzig, die auch wie ich lieber nackt am Strand liegen, um die Sonne und den Wind auf ihrer Haut spüren, aber bestimmt nicht, um begutachtet zu werden.

Ich suche mir eine Liege aus, in der Nähe einer Gruppe von Leuten, die schon beim Kaffeetrinken sind, mit Apfeltorte und Schlagsahne. Ich schiebe die zweite Liege etwas zur Seite und stelle einen Tisch dazwischen. Das letzte Mal, als ich das vergessen hatte, wurde ich von schweren Atemzügen neben mir geweckt und schien plötzlich mit einem mir völlig unbekannten Herrn in einem Doppelbett zu liegen.

Aber diesmal werde ich meine Unruhe nicht los, die leichte Brise, die das Gequatsche wegträgt und das rhythmische Geräusch der Wellen, das mich sonst in einen Trancezustand versetzt, rufen jetzt etwas in mir wach. Was ist es, das mich so nervös macht, diese Mischung aus Sehnsucht und einer leichten Unruhe? Ich beschließe, meine Sachen wieder zusammenzupacken, den Zug zurückzunehmen und meine neue Freundin zu besuchen. Daniels Mutter.

Sie liegt noch immer auf der Intensivstation. Ihr ist warm. Sie stöhnt leise. Panik steht in ihrem einen Auge. Ich glaube, daß sie froh ist, mich zu sehen. Sie murmelt etwas vor sich hin, scheint wieder einzuschlafen, wird dann mit einem Schlag wach, stöhnend, ängstlich. Streckt ihre dünnen Arme nach mir aus, alte Arme, mit wunden Stellen und Sommersprossen auf der weißen Haut. Ich halte sie fest und rede, es ist gut, es ist gut, ich wiederhole die Namen, die sie zu beruhigen scheinen: Daniel, David, Elias. Ich rede, was mir in den Kopf kommt. Es ist gut. Du brauchst dir keine Sorgen mehr zu machen, es ist alles in Ordnung. Daniel geht es gut. Ich sorge schon für ihn. Beruhige dich, beruhige dich doch, es ist genug gewesen, du brauchst dich nicht mehr zu sorgen. Sie sackt wieder weg. Ihre Wangen sind gerötet, ich wische ihr den Schweiß von der Stirn. Sie läßt meine Hand nicht los.

Die Krankenschwester kommt herein, um das Bett zu richten und die Temperatur zu messen. Daniels Mutter murrt. Die Krankenschwester redet ihr gut zu, freundlich, aber laut, als hätte sie es mit einer Tauben zu tun. Heute abend kommt Ihr Sohn aus der Schweiz zurück, ist das nicht schön? Er hat angerufen, daß er heute abend wieder hier ist.

Ich schrecke hoch. Kommt Daniel zurück, haben sie ihn gebeten, zurückzukommen? Mir erzählen sie nicht, wie es um sie steht, jetzt, da sich herausgestellt hat, daß ich nicht zur Familie gehöre. Was hat Daniel mit ihnen besprochen?

Ich fahre mit dem Bus nach Hause. Wahrscheinlich hat Daniel mich heute morgen angerufen, als ich schon am Strand war. Gegen 22 Uhr ruft er an, von der Grenze aus. Ich habe es schon erfahren, sage ich, die Krankenschwester hat es erzählt. Ich traue mich nicht, ihn zu fragen, ob er allein zurückgefahren ist, mit seinen Kindern oder mit Dorian, oder sind sie alle dageblieben? Aber er erzählt es von selbst. Die Kinder sitzen im Auto, so brav und verständnisvoll, wie sie noch nie gewesen sind, sie haben unterwegs kaum angehalten und die ganze Zeit über hat keiner um Cola gebettelt. Dorian ist dort geblieben, um später das Flugzeug zu nehmen, sie will eine Freundin besuchen, irgendwo in Europa.

Wenn du nichts dagegen hast, bin ich in ein paar Stunden bei dir, sagt Daniel. Ich setze die Kinder bei ihrer Mutter ab. Kann ich bei dir schlafen?

Daniels Mutter liegt im Sterben. Es hat keinen Zweck mehr, sie auf der Intensivstation zu behalten. Sofort nachdem Daniel zurück ist, verlegen sie sie in ein normales Zimmer. Die Ärzte haben gesagt, daß die kleinste Krise ihr labiles Gleichgewicht, in dem sie sie zu halten versuchen, ins Wanken bringen könnte. Die Krise kommt schnell. Eine einfache Infektion durch die Infusionen, normalerweise etwas, woran ein gesunder Mensch nicht sterben würde, aber ihr ruinierter Körper kann das Fieber nicht mehr verkraften, und jetzt hat für sie die letzte Phase begonnen. Dann stirbt sie also, sagte Daniel, als er erfuhr, daß sie von den Apparaten abgeschaltet werden soll, und niemand widersprach.

Also verstaute er Kinder und Gepäck im Auto und fuhr in einem Stück zurück.

Manchmal sitzt er allein bei seiner Mutter. Manchmal gehe

ich mit. Sie liegt allein, zwischen drei weißen, leeren Betten. Das Fenster ist geöffnet, es ist heiß, die Gardinen wehen träge hin und her. Sie erkennt mich nun, wenn ich komme, auch wenn sie überhaupt keine Vorstellung davon haben wird, wer ich bin. Als sie Daniel sah, hat sie noch ein einziges verständliches Wort gesagt, mit einem unverkennbar deutschen Akzent. Daniel. Nun murmelt sie nur noch ab und zu und zieht sich täglich weiter in sich zurück. Mit Ehrfurcht betrachte ich sie, wie sie sich täglich verändert. Es ist harte Arbeit, zu sterben. Sie keucht und stöhnt. Manchmal hat sie Angst, und dann ist es gut, daß Daniel da ist, um sie festzuhalten, oder ich. Aber von Tag zu Tag reagiert sie weniger, scheint sie sich immer mehr in sich zurückgezogen zu haben, bis überhaupt nicht mehr zu erkennen ist, ob es ihr noch etwas ausmacht, wenn jemand bei ihr ist. Siehst du, wie jung sie wieder geworden ist, sagt Daniel. Es stimmt. In den letzten Tagen sind die Ödeme verschwunden, die Schwellungen sind zurückgegangen und die Haut auf ihrem Schädel liegt da, glatt und entspannt wie bei einem Baby, ihre Wangen schimmern rosa und weich. Es sieht aus, als würde sie jeden Tag kleiner und jünger, sagt Daniel.

Daniel trauert in den letzten Tagen. Es ist ein leicht getragenes Leid, ohne Qual und Zerrissenheit. Der Abschied hatte schon lange begonnen, es ist nichts mehr zu klären, keine alten Wutgefühle mehr, kein Schmerz über verpaßte Chancen und verschwiegene Vorwürfe. Es ist in Ordnung. Aber ach, es tut trotzdem sehr weh, daß sie nicht noch ein paar Jahre hat. Ich hätte sie gerne noch ein paar Jahre behalten, sagt Daniel. Sie hat so wenig Freude in ihrem Leben gehabt. Und weißt du, was die Ironie dabei ist, mit der ganzen Pflege, die sie ihr nun zukommen lassen, die Tausende von Gulden, die das kostet – wenn sie dieses Geld gehabt hätte, als sie noch jünger war, dann hätte sie nicht so hart arbeiten müssen und hätte weniger Sorgen gehabt, vielleicht wäre sie dann jetzt auch nicht so verbraucht.

Wir gehen schwimmen, zwischen den Besuchen, oder essen am Strand. Oder ich mache uns einen Essenskorb fertig mit einer Flasche Wein, und wir setzen uns irgendwo ans Wasser, nicht weit vom Krankenhaus, wo Rosen blühen und einen betörenden Duft verbreiten.

Es ist Dienstagnachmittag. Wir gehen zur Besuchszeit wieder ins Krankenhaus. Es herrscht immer noch das gleiche heiße Sommerwetter. Daniels Mutter reagiert kaum noch. Sie öffnet ihr Auge auch nicht mehr, wenn Daniel mit ihr spricht, bewegt sich nicht mehr, wenn er ihren Arm streichelt und ihr über die Wangen streicht. Wir sehen nur ihren Kampf um jedes neue Atemholen. Wir gehen wieder. Auf dem Flur drehe ich mich um und sehe Daniel in der Türöffnung stehen, den Körper seiner Mutter betrachtend, eine kleine Gestalt unter einem weißen Laken, nur noch ein winziger Lebensfunke. Ich betrachte ihn, wie er dasteht, in einem weißen Raum. Es ist nur ein Moment, und trotzdem dauert er eine kleine Ewigkeit. Scharf zeichnet es sich auf meiner Netzhaut ab, das blaugestreifte T-Shirt, das er trägt, hellblau, dunkelblau, weiß, und wie er da steht, unbeweglich auf seine Mutter sieht und Abschied nimmt von dem Körper, der ihn zur Welt gebracht hat.

Als er am nächsten Tag wieder hingeht, allein, kondoliert ihm der Arzt, als er hereinkommt. Er ruft mich an. Sie ist gestorben, sagt er, heute früh.

Die Sonne scheint wie verrückt. Um uns herum Geplansche im Wasser, Kinderstimmen, Eltern, die sie rufen. Es wird gegessen oder herumgeschmust. In dieser Betriebsamkeit des Lebens hat sich jemand in aller Stille davongemacht, ohne viel Aufhebens.

Nun bist du ein Waisenkind, sage ich zu Daniel.

Ja, sagt er, und ich sehe wie seine Augen feucht werden, nun bin ich ein Waisenkind.

14

Ich bedaure es, daß wir Volterra verlassen. Ich hätte hier lange bleiben können. Aber der Termin nähert sich, zu dem wir David seiner Mutter übergeben müssen und Elias besuchen sollen, der irgendwo am See von Trasimeno mit seiner Freundin zeltet, die den Spitznamen Fräulein B. trägt. Und in einem Dorf oberhalb des Sees, in den Hügeln, in Preggio, gibt Fräulein B.s Vater mehrere Konzerte, die wir gerne besuchen möchten.

Der erste Campingplatz, den wir finden, erkenne ich als den Ort wieder, wo ich vor Jahren schon einmal mit Martha war. Er ist voll und schmutzig und heiß. Mückenschwärme. Am See, einst so klar und sauber, steht ein Schild: Baden nur auf eigene Gefahr. Es sieht nicht sehr einladend aus. David seufzt.

Es ist nicht einmal irgendwo ein Stücken Schatten zu entdecken, in den er sein Zelt stellen könnte, und er sieht sich schon wieder in den kleinen Kreis unter dem Sonnenschirm verbannt. Wir finden einen Platz, eingeklemmt zwischen zwei anderen Zelten, unsere Zeltleinen überkreuzen sich mit den Zeltleinen der Nachbarn. Ich weiß, wie es sein wird: morgens beim Frühstück dem Nachbarn zuschauen müssen, wie er versucht, seine Morgenlatte in der Badehose verschwinden zu lassen, das Gebrüll der Kinder nach einer Ohrfeige.

Daniel und ich gehen schwimmen. Nicht im See, sondern in dem Schwimmbad, das hier noch nicht stand, als ich vor ein paar Jahren mit Martha hier war. Ich zeige Daniel, wo unser Zelt damals stand. Wir könnten natürlich versuchen, die Orte zu meiden, wo wir einmal mit unseren anderen Liebhabern und Liebhaberinnen gewesen sind, aber – ach, haben wir festgestellt – in unserem Alter, und mit den vielen Beziehungen, die wir hinter uns haben, bleiben dann nicht mehr so fürchterlich viele Orte übrig, in die man seine Geliebten noch mit hinnehmen kann. Und ich selbst bin ebenso schamlos wie Daniel, der mir auch vorzugsweise all die schönen Orte anbietet, wo er mal mit einer seiner vielen Frauen gewesen ist, genau wie ich, als ich ihm die Reise nach Venedig schenkte. Obwohl ich ganz genau weiß, daß ich vor Eifersucht platzen würde, wenn Daniel jemals mit einer neuen Geliebten dieselben Orte aufsuchen würde, die nun uns gehören, Volterra, Amboise, oder sei es auch nur unser heimisches Bergen.

Das Wasser im Schwimmbad riecht nach Chlor und ist warm. Die Erwachsenen haben sich an die Tische unter den hohen Pinienbäumen zurückgezogen. Ein junges Mädchen wird von zwei hochgewachsenen Jungen gepiesackt. Sie tauchen sie unter, reißen ihr die Badekappe vom Kopf, um sie dann einem anderen Jungen zuzuwerfen. Ich beobachte, wie sie langsam vor Wut rot anläuft, als sie zum drittenmal vergeblich versucht, ihre Badekappe den Jungen wieder wegzuschnappen und sie wieder untergetaucht wird. Es tut weh, das zu sehen, aber viel schlimmer ist, was dann geschieht. Als sie eingesehen hat, daß sie nicht gewinnen kann und sich ergibt, sich schwach zeigt, zu kichern anfängt. Sie bekommt ihre Badekappe erst in dem Moment zurück, in dem sie sich wie ein Weibchen verhält und kapituliert. Nicht sehr angenehm hier, oder, sagt Daniel, der die seltene Eigenschaft hat, in solchen Augenblicken dasselbe zu sehen wie ich, nicht das unschuldige Kinderspiel, das andere Leute darin sehen, sondern den Zwang, der auf Menschen ausgeübt wird, damit sie ihre Rollen erfüllen; Menschen, die treten, und Menschen, die getreten werden.

Wir duschen uns das Chlor von unseren Körpern ab und setzen uns in das Gartenlokal zu den anderen Erwachsenen, dorthin, wo die Endprodukte dieses Sozialisationsprozesses schon leicht angeschickert sitzen. Hinter uns geht das Gepiesacke weiter, jetzt aber verbal. Verhohlene Feindseligkeit, verbrämt als Scherz: «Du als Emanze kannst dir doch wohl dein Bierchen allein holen», sagt ein Mann. «Ich dachte nur, daß du es auf die Dame hinter dem Tresen abgesehen hättest», lautet die Antwort. «Oder will sie nichts von dir wissen? Du kriegst ja langsam auch eine Wampe, nicht, und so viele Haare hast du ja auch nicht mehr auf dem Kopf. Da kannst du froh sein, daß du noch mich hast.» Es wird gelacht, aber fröhlich klingt es nicht. Im Lichtschein der Tür zur Bar taucht ein Männerkörper auf, die Flammen in meinem Bauch entzünden sich wieder wollüstig, noch bevor mir klar geworden ist, daß es Daniel ist, mit zwei Gläsern Weißwein in den Händen.

Für mich bist du die weitaus anziehendste Person, sage ich zu Daniel.

Das trifft sich gut, sagt er. Ich mag dich ja auch sehr.

Wir hocken auf unseren Handtüchern in dem schmutzigen Sand und schauen auf den See. Als es noch nicht so schmutzig war, saß ich hier mit Martha. Ich weiß noch genau, daß damals die ersten feinen Risse in unserer Beziehung sichtbar wurden, aber ich weiß auch, daß ich versuchte, damit allein klarzukommen. Mit Daniel habe ich in den paar Jahren, die wir einander kennen, mehr Streit gehabt als in all den Jahren mit Martha zusammen. Aber es scheint, als ob jeder Konflikt, den wir austragen, die Fundamente unserer gemeinsam gewachsenen Geschichte eher festigen als zerstören würden.

Wann war dir wirklich klar, daß es mit Martha und dir nicht mehr weitergeht? War das hier? Warum habt ihr dann noch so lange weitergemacht? Ich denke nach. Warum? Angst, wieder von vorne anzufangen? Es ist so peinlich, zugeben zu müssen, daß es nicht geht. Erst recht nicht nach den ganzen Beziehungen, die ich schon hinter mir hatte. Ich fühlte mich zu alt, um gleich wieder abzuhauen, auch wenn die Leute denken, die macht das alles ganz locker, die mit ihren ganzen Experimenten während der sexuellen Revolution. Vielleicht hatte ich auch noch gehofft, daß es mit der Zeit schon noch was werden würde. Ich glaube, richtig erkannt, daß es nicht mehr gut werden würde, habe ich erst in Portugal. In dem Katastrophenurlaub, als Martha ihre Rückenschmerzen bekam.

Portugal. Wir fahren weiter, Martha und ich, in ein Dorf an der Küste. Wir stellen das Zelt nicht weit entfernt vom Strand auf. Ich bin ruhiger als am Anfang der Reise. Die Stichflamme, die mir durch den Körper schoß, wenn ich an Daniel dachte, hat sich Gott sei Dank in eine Sparflamme verwandelt. Vielleicht ist es auch gar nicht so unvernünftig, das Ganze sich etwas beruhigen zu lassen, denke ich, sonst geht es sowieso wieder schief.

Die meiste Zeit liegen Martha und ich am Strand. Wenige Touristen, das meiste sind Portugiesen, die den kleinen Strand unterhalb der Felsen bevölkern, der noch kleiner wird, wenn die Flut kommt und die Sonne untergeht und dann die Felsen auch noch ein Stück der Sonne wegnehmen. Wir rücken enger zusammen, Kinder rennen über mein Handtuch und die Füße der großen Frau neben mir liegen beinahe schon auf meinem Buch.

Ich falle in Trance, die Tage fließen ineinander. Bereits in der Mittagszeit lege ich ein paar Escudos in das Körbchen, das mit einer Klingel versehen ist und an einem Tau von dem Restaurant oben auf den Felsen herunterbaumelt, und erhalte im Tausch dafür eine kalte Flasche Weißwein. Martha trinkt mit, aber ich trinke mehr. Außer über das, was wir sehen, was wir machen und was wir essen werden, reden wir wenig miteinander, aber das ist nicht weiter außergewöhnlich, das war häufiger schon so. Auf die Gespräche am Anfang unserer Reise, über Paul und Daniel und unsere Beziehung, kommen wir nicht zurück. Martha nicht, ich auch nicht. Was gibt es auch schon darüber zu reden, wir wissen ja noch nicht, wie es weitergeht. Ich schaue Martha an, wie sie neben mir liegt, ihr mir seit Jahren vertrautes Profil, ich habe gesehen wie ihre Haare langsam grau geworden sind. Weiß ich wirklich, was in ihr vorgeht? Wie lange leben wir schon so, beinahe nebeneinander her? Ist es ihre Bequemlichkeit, oder meine, daß wir einander so lassen, jede der anderen ihre eigenen Gedanken läßt, sie so wenig miteinander teilen? Es paßte mir gut, jahrelang, eine Beziehung, die mir so wenig abverlangte. Angenehme Gewohnheiten, angenehme Gesellschaft zum Reisen. Wir kochen gern füreinander. Wir verreisen gern miteinander. Aber gibt es noch mehr? Ich kenne das vage Gefühl von Enttäuschung, es ist häufiger da gewesen. Aber jedesmal sage ich mir: das ist es, was übrig bleibt von einer jahrelangen Beziehung, wenn die erste Leidenschaft vorüber ist. Sei zufrieden damit, Mädchen. Oder willst du wieder die schmerzhaften und destruktiven Liebesbeziehungen haben, die du kennst, die zwar heftig waren, aber immer unmöglich und sehr schnell vorbei. Ich werde auch nicht jünger.

Im Restaurant oben auf den Felsen, über den Tellern mit Muscheln und plattgeklopften Wachteln, teile ich noch einen Gedanken mit Martha. Ich will mich sterilisieren lassen. Ich sehe Martha an, ob sie nicht vielleicht meint, daß das zu weit gehe, solche weitreichenden Entscheidungen nach kaum zwei Wochen Heterosexualität, aber sie reagiert ruhig und vernünftig. Natürlich ist es besser, die Verantwortung für deinen Körper selbst zu behalten. Und na klar, dieses Herumgepfusche, das kennt sie noch gut von früher. Wir tauschen unsere Erfahrungen aus über geeignete Gynäkologen. Ihrer ist gut, es ist eine Frau. Sie hat sie sterilisiert, als sie noch mit Paul verheiratet war. Wollen wir Hand in Hand zu ihr gehen, schlage ich vor. Wir lachen über das eine Mal, als ich von einem Hausarzt gefragt wurde, welche Verhütungsmittel ich benutzen würde, und ich antwortete: meine Freundin hat sich sterilisieren lassen. Ich schaue sie an, ob ich Spuren verdrängter Eifersucht oder Unruhe entdecken kann. Es ist doch klar, daß ich mich nicht wegen ihr, sondern wegen Daniel sterilisieren lassen will. Aber nichts, gar nichts. Macht es ihr denn nichts aus? Oder steht sie wirklich über den Dingen? Ich halte ihre Hand, als wir noch kurz an den Felsen entlang über den Strand laufen. Es wird schnell dunkel, und schnell kalt. Martha fröstelt. Du mußt auf deinen Rücken aufpassen, sage ich. Über uns hat das Restaurant die Lampen angeschaltet, eine Reihe gelber Vierecke. Das dunkle Meer wirkt dadurch unheilvoller. Später im Zelt lieben wir uns wieder einmal, freundlich, vertraut und leise, wegen der Nachbarn.

Am nächsten Tag ist es zu kalt, um in der Sonne zu liegen. Wir gehen spazieren, einen Pullover über dem Bikini, an der aufkommenden Flutlinie entlang. Als wir bei einem vorgeschobenen Felsen ankommen, müssen wir rennen, bevor die Flut uns den Weg abschneidet. Martha ist zu spät dran und wird naßgespritzt. Sollten wir nicht umkehren, damit du dir etwas Trockenes anziehen kannst, frage ich sie. Sie zuckt mit den Schultern. Sie mag es nicht, bemuttert zu werden. Aber als wir danach irgendwo sitzen und essen, klagt sie, daß die Rückenschmerzen wiederkommen. Ich gebe ihr meinen Pullover, der wärmer ist.

Nachts werde ich wach, weil sie stöhnt. Es ist sehr viel schlimmer geworden, flüstert sie. Kannst du deine Hand auf meinen Rücken legen, es ist als ob ich entzweibrechen müßte. Drücken, sagt sie, ja, da. O Gott, was sollen wir jetzt nur machen, fragt sie mich. Ich suche morgen einen Arzt, sage ich. Mit Schlafen ist nicht viel drin. Früher als sonst krabble ich aus dem Zelt. Der Seenebel hat sich noch nicht aufgelöst. Ich suche den Chef vom Campingplatz, der ein wenig Englisch spricht. Es gibt hier keinen Doktor, sagt er, Sie müssen in die Stadt, nach Marinha Grande, mit dem Auto oder dem Bus. Sie kann mit solchen Rückenschmerzen nicht fahren, sage ich. Kann der Arzt denn nicht hierherkommen? Der Arzt kommt nicht zum Campingplatz, antwortet er. Und wenn jemand stirbt? Er zuckt mit den Schultern. Sie müssen nach Marinha Grande, sagt er noch einmal. Oder bis heute nachmittag warten, vielleicht kommt der Arzt nachmittags ins Dorf. Sie müssen in der Apotheke fragen. Ich gehe zum Zelt zurück und sage Martha, daß ich ins Dorf gehe.

Sie hat sich auf einen Stuhl geschleppt und sitzt nun blaß da. In der Apotheke habe ich Mühe, deutlich zu machen, worum es geht. Nein, ich bin nicht die Kranke, meine Freundin. Sie holen jemanden, der Englisch spricht. Heute nachmittag kommt der Doktor, sagt der, dort, und zeigt auf eine Tür auf der gegenüberliegenden Straßenseite.

Als es beinahe Zeit ist, humpeln Martha und ich mit kleinen Schritten ins Dorf. Mit zusammengebissenen Zähnen zieht sie sich die Treppe hoch. Auf den harten Stühlen sitzen schon mehrere Leute, die Martha mitleidig ansehen. Sie sitzt. Das darf nicht zu lange dauern, sagt sie, sonst muß ich mich hinlegen. Ich schaue mich um. Es gibt keine Bank, keine Liege, nichts, außer den Holzstühlen und einem Tisch. Nach einer halben Stunde ist der Arzt immer noch nicht da, und nach einer Stunde auch noch nicht. Niemand scheint sich darüber zu wundern. Einige Leute gehen wieder, es kommen neue hinzu.

Martha ist noch blasser geworden und hat die Augen geschlossen. Als ich nach eineinhalb Stunden nachfrage, stellt sich heraus, daß der Arzt nicht mehr kommen wird. Vielleicht übermorgen, sagt eine Arzthelferin. Wir können nicht bis übermorgen warten, sage ich zu jemandem, der ein paar Brocken Englisch versteht, sehen Sie sich sie doch einmal an, es geht ihr sehr schlecht. Es stehen jetzt mehrere Leute um uns herum. Martha klammert sich an ihren Stuhl. Jemand hat eine

Idee. Sie müssen den Krankenwagen anrufen, in der Apotheke. Umringt von einem Spalier durcheinander redender Leute wird ein Krankenwagen angerufen. Ich sitze neben Martha. Eine dreiviertel Stunde, wird uns zu verstehen gegeben.

Martha stöhnt.

Als der Krankenwagen kommt, wird sie auf eine Bahre gehievt. Die Bahre ist zu kurz, ihre Füße stehen über, sie zerren sie nach oben. Es gibt keine Riemen, mit denen sie festgeschnallt werden könnte. Als wir fahren, sausen sie um die Kurven, als hätten sie Angst, daß sie ihnen einfach abkratzen könnte. Martha muß sich festhalten, um nicht hinunterzurollen. Schwanger, ist die Frage, als sie ins Krankenhaus hineingetragen wird. Nein, sage ich. Das sehen Sie doch. Ein junger Arzt, in Jeans, beugt sich über sie und betastet ihren Rücken. Mit Mühe können wir etwas von dem verstehen, was er sagt. Nichts Ernsthaftes. Ruhe. Spritzen. Er gibt ihr eine und händigt mir das Rezept aus. Gott sei Dank fahren sie auf dem Rückweg etwas langsamer.

Als sie Martha wieder in das Zelt hineingeschoben haben, gehe ich in die Apotheke und gebe das Rezept ab. Ich bekomme eine Dose mit Ampullen. Wer soll ihr die Spritzen geben? Sie muß morgens zur Apotheke kommen, wird gesagt. Das kann sie nicht, erkläre ich. Es wird überlegt. Sie müssen zu Joaquim, Joaquim, sagen sie lauter, als ob ich es besser verstehen würde, wenn sie schreien. Joaquim da Silva. Beim Finanzamt. Sie zeigen auf das Dorf. Ich mache mich auf die Suche. Gehe in ein offiziell aussehendes Gebäude ohne Schild hinein und sehe einen dicken Mann in Uniform, der da sitzt und sich in den Zähnen herumstochert. Ja, ja, sagt er, Joaquim, und winkt mir, ihm zu folgen. Auf dem Innenhof verliere ich ihn und zweifle, ob ich ihn wohl richtig verstanden habe. Ein anderer Mann taucht auf, der sich gerade ein Hemd über den nackten Oberkörper zieht. Er ist nicht jung, sechzig oder siebzig, und hat ein Gesicht wie ein südamerikanischer Indianer.

Er sagt nichts, sondern winkt nur. Mit einer Flasche Wein in der einen Hand setzt er sich in Bewegung. Er schaut sich nicht um, ob ich ihm folge, als wir durch die engen Gassen laufen. Er verschwindet in einem Haus, und zögernd folge ich ihm in eine Küche. Eine Frau, so um die vierzig, taucht auf. Sie spricht Englisch. Joaquim zeigt auf sie. Mißtrauisch fragt sie, was ich will. Ich zeige ihr das Rezept und die Ampullen und bitte sie, Joaquim zu fragen, ob er einmal am Tag auf den Campingplatz kommen und Martha eine Spritze geben könnte. Er nickt. Und um zu zeigen, daß er es verstanden hat, holt er aus einem zusammengefalteten Tuch eine Kupferdose hervor, in der eine Spritze liegt, die aussieht, als stamme sie noch aus dem Ersten Weltkrieg. Mit zitternden Händen zeigt er die Wattebäuschchen und eine kleine Flasche mit Alkohol.

Täglich kommt Joaquim langsamen Schritts den Campingplatz heraufspaziert und beugt mühsam seine alten Knie, um dann auf Händen und Füßen in das Zelt zu kriechen, wo Martha eine Pobacke freigemacht hat. Im Zelt riecht es nun aufdringlich nach Vitamin B und nach der Tatsache, daß Martha vorbeigepinkelt hat, als ich versuchte, sie auf einen Campingkochtopf zu hieven. Nachts stöhnt sie. Sie kann nicht mehr auf dem Rücken liegen, kann sich aber ohne Hilfe nicht von der einen auf die andere Seite umdrehen. Ich stelle mich breitbeinig über sie, mit gebeugtem Rücken, damit sie sich, wenn sie mir die Arme um den Hals legt, aufrichten kann. Paß bloß auf deinen Rücken auf, sagt sie, sonst liegen wir bald beide hier.

In den ersten Tagen können wir der Situation noch etwas Komisches abgewinnen. Im Dorf kaufe ich lauter leckere Sachen für Martha, eine reife Melone, ein gebratenes Hühnchen, und komme kichernd mit meinem schönsten Geschenk zurück, einem blauen Plastikkindertopf. Sofort ausprobieren, beschließen wir. Wir sind noch guter Dinge, hatte der Arzt schließlich nicht gesagt, daß es nichts Ernstes wäre, es müßte jetzt doch schnell besser werden? Und zweimal am Tag nehme ich eine Schüssel warmen Wassers, und mit einem Waschlappen und mit Seife wasche ich ihren mir so vertrauten Körper, alle die wohlbekannten Stellen, die ich vorher schon berührt habe, nur anders als jetzt, mit Leidenschaft, nicht mit Sorge. Ein Gedanke kommt mir, den ich lange Zeit verdrängt habe. Es ist vorbei. Selten ist ihr Körper mir vertrauter gewesen als jetzt, vielleicht habe ich sie auch niemals zuvor so lieb gehabt wie jetzt, so selbstlos. Aber trotzdem, es ist vorbei. Die Reise ist zu Ende. Auch wenn der tatsächliche Bruch erst ein Jahr später kommt, als endlich Marthas jahrelang unterdrückte Vorwürfe kommen, sie mir alles mögliche vorwirft, nur nicht die Tatsache, daß ich ihr untreu geworden bin.

Da war dann innerhalb eines Tages auf einmal alles vorbei.

Nein, nie wieder werden wir zusammen in den Urlaub fahren, diesen Sommer, den Sommer nach Portugal nicht und auch keinen anderen Sommer mehr. Es tut nicht weh, aber ach, ich bin auch nicht besonders stolz auf mich. Martha träumt. Sie erinnert sich selten an ihre Träume, aber diesmal weiß sie ihn noch: sie sah Paul und mich in ein Gespräch vertieft, in einer Sprache, die sie nicht verstand. War es nicht Daniel, frage ich sie. Nein, Paul, sagt sie, ich weiß es genau. Auch ich träume: die Telefonträume von früher kommen zurück. Ich versuche Daniel anzurufen, aber noch während des Wählens verändert sich seine Nummer ständig. Die Telefone zerbrechen unter meinen Händen, ich suche ein neues, aber auch dieses zerbröckelt und stößt bedrohliche Summ- und Pieptöne aus. Die ganze Zeit über habe ich das Gefühl, daß ich mich beeilen muß, beeilen muß, wenn ich Daniel nicht erreiche, ist es zu spät.

Nachts versuche ich, neben Martha einzuschlafen. Ich bin unruhiger, als ich es sie merken lasse. Angenommen, sie hat wirklich etwas Schlimmes? Wird sie morgen gelähmt erwachen, kann sie wohl bald wieder laufen? Ich lege ihr meine

Hand auf, an die Stelle, die sie mir gezeigt hat, die Stelle, wo sie das Gefühl hat, ihr Rücken würde entzweibrechen. Aber ich halte es nicht lange durch, endlich schlafe auch ich ein. Ihr Körper riecht seltsam, und außer der einen Hand auf ihrem Rücken, und außer wenn ich sie wasche, ist ihr jede Berührung zu viel. Wenn wir miteinander reden, ist sie in ihren Schmerz eingeschlossen, als käme ihre Stimme irgendwo von weit her. Weinen tut sie fast nie, aber ein- oder zweimal sehe ich Tränen auf ihr Kissen tropfen.

Es geht ihr auch nach drei, vier Tagen nicht besser. Die Spritzen helfen nicht. Auch Joaquim schüttelt seinen Kopf. Sollen wir nicht doch mal versuchen, Paul anzurufen? Martha ist todmüde, von den Schmerzen, von den durchwachten Nächten. Auch mit mir ist nicht mehr viel los, nach der ganzen Grübelei. Die letzten Tage habe ich keine Nacht länger als zwei Stunden durchschlafen können. Keine von uns beiden findet es toll, ihren Ex-Mann eine Situation, aus der wir keinen Ausweg mehr sehen, ausbaden zu lassen. Wir hätten eher abfahren müssen, sagen wir jetzt, als du dich noch bewegen konntest. Aber wir konnten schließlich nicht ahnen, daß es so schlimm werden würde.

Hätte ich doch bloß meine Führerscheinprüfung bestanden, dann könnte Martha sich hinten ins Auto legen, und ich würde zurückfahren.

Andere Alternativen fallen uns nicht ein. Tagelang habe ich bereits versucht, eine Freundin von Martha zu erreichen, die irgendwo in Estoril stecken muß, um sie zu bitten, uns abzuholen, damit Martha in einem richtigen Bett, mit einem Arzt in ihrer Nähe, wieder gesund werden kann. Aber jedesmal, wenn es mir gelingt, vom Telefon des Campingplatzes eine Verbindung mit der Nummer, die Martha auf einem Zettel stehen hat, herzustellen, bekomme ich eine immer verzweifelter werdende Stimme an den Apparat, die brüllt, daß Sabine nicht da sei. Ob sie noch kommen soll, oder ob sie schon da gewesen ist, oder ob sie Sabine überhaupt nicht kennen, kann ich nicht herausbekommen. Paul anrufen und den Auslandsnotdienst des Automobilclubs, beschließen wir. Aber das Telefon auf dem Campingplatz funktioniert an diesem Tag nicht. Portugiesen sind es gewohnt, daß es Stunden dauern kann. Ich aber nicht. Während der Campingplatzchef erfolglos an dem Apparat herumkurbelt, um die Telefonistin zu bekommen, platze ich fast vor Wut. Ich gehe zur Post, ins Dorf. Aber auch dort gelingt es nicht, die Verbindung zustande zu bringen.

Als ich zum Zelt zurückkomme, überlegen Martha und ich. Dann also ein Telegramm an Paul, aber inzwischen hat die Post zu. Als ich am nächsten Tag zum Postamt gehe, ist gerade ein Streik ausgebrochen, und es werden keine Telegramme angenommen.

Krank, krank, rufe ich in einer Sprache, von der ich hoffe, daß es portugiesisch ist. Aber der Mann hinter dem Schalter sieht mich nur höhnisch an. Ich sehe nicht krank aus. Es sind noch andere Leute da, die herumschreien. Heute nachmittag Telefon, sagt er. Aber als ich nachmittags zurückkomme und ihm die Telefonnummer in Den Haag überreiche, schaut er lange in ein Buch und gibt sie mir zurück. Nicht richtig, sagt er. Doch richtig, sage ich, jetzt beinahe wahnsinnig vor Wut. Gestern noch angerufen, verdammt noch mal, nun wählen Sie sie doch. Er schüttelt weiterhin den Kopf, bis ich auf die glorreiche Idee komme, daß vielleicht nicht Den Haag, sondern noch die altmodische Bezeichnung s-Gravenhage in seinem Buch steht. Er nickt und sieht mich an, als sei ich verrückt, Ausländer, und würdevoll und bedächtig wählt er die Nummer. Eine niederländische Stimme, dünn, unterbrochen, der Touristennotdienst. Ich heule jetzt fast. Aber es gelingt mir, ihnen zu erklären, was los ist. Ich gebe die Versicherungsnummer durch, Pauls Telefonnummer, den ich nicht habe erreichen können. Sie brauchen eine ärztliche Bescheinigung, sonst können sie Martha nicht überführen, sagen sie. Sie haben die Nummer vom Campingplatz, morgen rufen sie zurück. Ich soll in der Zwischenzeit versuchen, die ärztliche Bescheinigung zu bekommen, und sie werden Paul anrufen.

Es wird alles wieder gut, sage ich zu Martha, die fiebrig aussieht und manchmal sogar zu phantasieren scheint. Ich schäle etwas Obst für sie und schneide es in kleine Stücke. Mittlerweile tut ihr alles am Körper weh, ihr Hals, ihr Herz. Soll ich wieder versuchen, einen Krankenwagen zu bekommen? Sie schüttelt ihren Kopf, nein, nicht noch einmal so eine Horrorfahrt. Wir wissen nicht, was sie hat. Vielleicht ist es ja auch gefährlich, sie zu viel zu bewegen. Aber morgen ruft der Automobilclub an, und Paul müßte es jetzt auch schon erfahren haben. Sie schläft ein. Ich setze mich draußen vors Zelt und schenke mir einen Vinho Verde ein, ein Glas und noch ein Glas. Ich kann heute sowieso nichts mehr tun, nur noch abwarten, ob alles klappt. Dicke Tränen rollen mir über die Wangen. Tränen, die ich zurückgehalten hatte, weil es ja Martha war, die die Schmerzen hatte, nicht ich, und weil ich Martha nicht beunruhigen wollte. Beruhige dich doch, habe ich ihr gesagt, es kommt alles schon wieder in Ordnung. Wenn es gar nicht anders geht, holt Paul uns bestimmt ab, oder der Notdienst, sie lassen uns hier schon nicht sitzen, und wenn, hole ich eigenhändig den Arzt aus Marinha Grande. Ich versuche energisch und fröhlich zu sein, aber die ganzen durchwachten Nächte haben mir meinen letzten Optimismus geraubt. Ich bekomme Visionen – Martha, die stirbt, und niemand da, der eine Hand rührt. Es ist ein armes Land, wo jeder zwar mitleidig guckt, aber niemand hilft, und wo die Telefone nicht funktionieren und das Postamt jeden Augenblick geschlossen sein kann, wo man kein Taxi bekommt und die Ärzte nicht kommen. Und der Chef des Campingplatzes sieht auch schon zu, daß er schnell das Weite findet, wenn er mich ankommen sieht. Ich bin eine wandelnde Katastrophe, die immer irgend etwas will, die auf das Telefon zeigt, mit wieder einem neuen Zettel und einer neuen Nummer. Die Frau, die ab und zu beim Eingang sitzt und auch ein bißchen Englisch spricht, fragt, wann wir denn abreisen würden. Im Winter, sage ich, wenn nicht bald Hilfe kommt.

Am nächsten Tag versuche ich telefonisch das Krankenhaus in Marinha Grande zu erreichen. Aber es hat keinen Sinn. Der Name des Arztes steht nicht auf dem Rezept. Sie verbinden mich immer wieder mit der gynäkologischen Abteilung, die ich nicht brauche. Als ich endlich eine Frau ans Telefon bekomme, die mich versteht, sagt sie, daß der diensthabende Arzt, der Martha geholfen hatte, erst am Montag wieder da sei. Und heute ist Donnerstag. Ich gebe es auf und beschließe, persönlich hinzugehen. Mit dem Bus fahre ich nach Marinha Grande, und in dem Krankenhaus, wo sie mich erneut fragen, ob ich schwanger sei, gelingt es mir dann, ihnen zu erklären, daß es sich um eine Freundin handelt, die krank ist und eine Bescheinigung braucht, daß sie nicht Auto fahren kann. Sie geben mir ein Papier, auf dem ein paar portugiesische Sätze stehen und mehrere Stempel. Ich sehe auf meine Uhr. Martha hält es wohl noch aus, bis zum nächsten Pinkeln, vorausgesetzt der Bus kommt rechtzeitig. Ich gehe auf einen Friedhof, der in der späten Mittagssonne liegt. Schweigende alte Frauen in Schwarz arrangieren die Blumen auf den Gräbern oder holen Wasser in großen Gießkannen. In einem Café, wo ich eine Kleinigkeit esse und etwas trinke, läuft der Fernseher. Die Hochzeit von Prinz Charles und Diana. Plötzlich kommt mir alles ungeheuer komisch vor. Ich sehe schon, wie wir wochenlang unsere Abenteuer zum Besten geben können, Joaquim mit seiner antiken Spritze, mein Geschrei am Postschalter, Marthas Versuche, auf den Topf zu kommen.

Ich habe schließlich seit Tagen nichts anderes mehr gesehen als das Zelt, den Schuppen auf dem Campingplatz und den Schalter vom Postamt. Mit niemandem gesprochen, der meine Sprache spricht, außer mit Martha, die in ihre Schmerzen eingeschlossen ist. Für sie ist es noch viel schlimmer, seit einer Woche ist sie nicht mehr aus dem Zelt herausgekommen und sieht nur noch mich und Joaquim und kann nur noch an dem vom Zeltdach orangegefärbten Licht ablesen, ob die Sonne scheint. Aber morgen ruft der Notdienst an, ich habe die Bescheinigung, vielleicht holen sie uns am Sonntag ab.

Daniel, fast hatte ich ihn vergessen. Wenn ich zurückkomme, kann ich Daniel wiedersehen.

15

David will weg von diesem Campingplatz. Zuviel Sonne, zu viele Menschen, zu viele Kinder, zu viele Viecher. Und dann noch die brütende Hitze, die auch Daniel und mir zu schaffen macht. Daniel läuft der Schweiß in Bächen von den Haaren die Stirn hinunter auf seine Brust. Wir fahren auf die andere Seite des Sees, wo es vielleicht ruhiger ist, Daniel und ich. David lassen wir unter seinem Sonnenschirm zurück, mit Cola-Dosen und Chipstüten. Auf der Karte suche ich den Weg nach Preggio. Es ist Mittag. Jeder einigermaßen vernünftige Mensch hat sich ins Kühle verzogen. Nichts bewegt sich unterwegs, nur eine einzelne Eidechse. Bis auf die Grillen ist es still. Wir fahren durch die Berge, lassen eine Kurve nach der andern hinter uns, weite Landstriche sind kahl gebrannt. Irgendwo müssen wir falsch abgebogen sein, wir scheinen nirgendwo hinzukommen.

Es kann uns nichts passieren, sagt Daniel, als wir wieder einmal in einen neuen Weg eingebogen sind, keine Schilder, die uns den Weg weisen, niemand, den wir fragen könnten. Der Tank ist voll. Und wir auch, wir haben gegessen und getrunken. Wir haben ein Buch dabei.

Außerdem haben wir uns sterilisieren lassen, sagt Daniel. Aber dann sehen wir in der Ferne steile Hügel, an denen zwischen dunklerem Grün Häuser stehen, die aussehen als wären sie angeklebt. Das muß wohl Preggio sein. Die letzte steile Kurve nach oben, das Auto schafft es gerade. Ein verschlafener

Dorfplatz, von hohen Bäumen umgeben, verlassen bis auf einen keuchenden Hund, der unter einem der leeren Stühle liegt. Eine Katze schleicht scheu an den Häusern entlang. Aber als Daniel den Motor abgestellt hat und die Stille über uns hereinbricht, hören wir schwach, wie Hintergrundmusik in einem Film, die Klänge eines Klaviers. Schumann. Es muß aus der Kirche kommen. Daniel stemmt sich gegen die schwere grüne Tür und stolpert hinein, als sie sich öffnet.

Marmor und Stein. In dem Seitenschiff sitzt ein Küster und schläft, seinen Kopf auf die Arme auf den Tisch gebettet. In dem großen Raum der Kirche steht ein Flügel, auf dem Fräulein B.s Vater spielt. Er sieht aus, wie ein Pianist auszusehen hat, eine wilde Mähne, die Hände eines Handwerkers, mit denen er nun unsere schüttelt, und gequälte Augen. Er nimmt uns mit in ein kleines Café am Dorfplatz, wo wir Zitronensprudel und Espresso aus winzigen Tassen trinken, und entschuldigt sich dann wieder, er müsse noch üben, für das Konzert heute abend.

Daniels Ex-Frau, Esther, die Mutter von Elias und David, wohnt mit ihrem Freund weiter oben in einem Dorf und kommt heute abend auch, und wir wissen jetzt den Weg zum Campingplatz, wo Elias und Fräulein B. ihr Zelt stehen haben, wir werden sie zum Konzert abholen.

Auf dieser Seite des Sees ist es stiller und sauberer. Wenige Ausländer, fast ausnahmslos Italiener. Es gibt nur ein einfaches Restaurant, das am Tag auch Eis und Espresso verkauft. Es stehen dort ein paar Spielautomaten und mehrere Telespiele herum, von denen wir annehmen, daß sie Davids Los etwas versüßen können in diesen letzten Tagen, die er noch auf uns angewiesen ist. Als wir am Strand sitzen und uns umsehen, ob wir irgendwo Elias entdecken, sehen wir sie gerade den Wellen entsteigen und langsam durch das breite, flache Wasser waten. Junge Götter. Elias, groß und neunzehn. Fräulein B. kleiner und runder, mit dem glänzenden Fell eines Seeotter und den –

wenn auch nicht so gequälten – dunklen Augen ihres Vaters. Sie freuen sich, uns zu sehen. Wegen der Tatsache, daß wieder Geld hereinkommt und wir unser Wiedersehen mit großen Cola-Flaschen feiern und sie gleich mitkommen können, Pizza essen. Aber das ist nicht alles. Daniel liebt seine Söhne. Nun wird es noch mehr Väter geben, die ihre Söhne lieben, aber selten habe ich einen Mann erlebt, der so strahlen kann, und selten einen neunzehnjährigen Sohn, der seinen Vater so ungeniert küßt wie Elias.

Ist er nicht schön, sagt Daniel zu mir, stolz, als wir Elias hinterherschauen, wie er Cola holen geht und Eis.

Wir fahren zurück. Packen in Windeseile unsere Sachen zusammen und versuchen David etwas Freude zu entlocken mit der Aussicht, daß er seinen Bruder wiedersehen wird, seine Mutter und ihn außerdem ein paar Telespiele erwarten. Welche Marke, fragt er, bestimmt Atari, damit kann ich nichts anfangen. Aber auf die Marke haben wir nicht geachtet.

Auf dem Dorfplatz sieht es eine Stunde vor dem Konzert aus wie bei einer Versammlung. Als wir angefahren kommen, sind Esther und ihr Freund schon da. David begrüßt sie, sie begrüßen Daniel und mich. Elias kommt gerade mit Fräulein B. um die Ecke gelaufen. Die Freundin ihres Vaters schließt sich uns an. Und dann stellt sich heraus, daß auch noch andere Bekannte da sind, die Eltern eines Freundes von Elias. Noch etwas distanziert versuchen sie trotz des ganzen Durcheinandergeredes aus den Beziehungen untereinander schlau zu werden.

Ich bin die Mutter von Elias, stellt Esther sich vor. Ich bin die Freundin des Vaters von Elias, sage ich, und der Freund erzählt, daß er der Freund von Elias' Mutter sei. Na, sagt der Bekannte, und dann noch alle so fröhlich beisammen, und sieht dabei seine Frau an. Was sind wir doch bloß altmodisch, nur verlobt und verheiratet? Oh, aber ich war auch einmal verlobt, sagt Esther. Ja, mit mir, glaube ich, sagt Daniel. Und Esthers Freund geht

Wein holen, den sie hier anbauen, und Mineralwasser, bevor die Kirchenglocken anfangen zu läuten und das Konzert beginnt und wir uns auf den harten Bänken verteilen. Esther mit ihrem Freund auf der einen Seite, David hat sich jetzt neben seine Mutter gesetzt, Daniel und ich auf der anderen Seite, mit Elias und Fräulein B.

Als die ersten Töne von Schumann erklingen, dieselben Töne, die mittags über dem Dorfplatz schwebten, zeigt Daniel auf Esthers Profil. Das mußt du dir anschauen, sagt er, wie jung sie aussieht, wenn sie Musik hört. Ich sehe es, ihr Gesicht, ganz offen, halb begierig, halb fromm. Ich kann es mir gut vorstellen.

Es macht mir keine Schwierigkeiten, auf Daniels Vergangenheit zu stoßen, auf die Frauen, die in seinem Leben einmal eine Rolle gespielt haben und von denen er beiläufig erzählt, daß er auch mal mit ihnen geschlafen hat, ach, einmal, als wir beide allein waren, es war schön, aber nein, nicht so, daß ich es wiederholen müßte. Und ja, mit ihr hat es etwas länger gedauert, aber ihr Mann fand das nicht so schön, glaube ich. Ich sehe mir die Frauen aus seiner Vergangenheit an, und den einzigen Mann, mit dem er es auch einmal probiert hatte. Nicht richtig schön, sagt er, zwar angenehm, aber nicht wirklich aufregend. Und ich schaue interessiert, ob ich sehen kann, was Daniel sah. Manchmal ja, manchmal nein. Aber nie steigt die Unruhe auf, nie werden die Ungeheuer wach. Auch nicht, wenn ich sehe, wie er neuen Frauen hinterherschaut. Ich kann mit ihm darüber reden, was wir sehen, was schön ist, was aufregend. Einmal merke ich, wie Daniel interessiert einer Frau in einem offenen Sportwagen hinterherschaut. Fährst du nun ihr nach oder dem Auto, frage ich. Dem Auto, sagt er. Das ist gut, sage ich, dann mache ich mich an sie ran. Ihr habt mal wieder nicht an die Kinder gedacht, sagt David von hinten. Wenn sie was zu naschen hat, mach ich mit. Nein, die Ungeheuer spielen nur eine Rolle, wenn es um Dorian geht.

Dorian ist nicht glücklich darüber, wie sich alles entwickelt. Wir tun alle unser Bestes, wir Kinder der sexuellen Revolution, aufgewachsen mit der Idee, daß «es gehen muß». Es hat ihr nicht gefallen, wie es gelaufen ist, als Daniel krank wurde. Sie ruft mich an, und wir verabreden uns zu einem neuen Gespräch.

Wir sitzen wieder in demselben Café. Wir plaudern ein bißchen über ihre Arbeit, die sie im Moment auch nicht sehr befriedigt; über meine Arbeit, über das Buch, das ich gerade schreibe, bis sie sagt: wir sollten jetzt mal über die Sache mit Daniels Sterilisation reden.

Ihre Version: daß sie sich ungeheuer angestrengt hat, mich nicht auszuschließen, als Daniel bei ihr krank darniederlag. Daß sie ihre Arbeit vernachlässigt hat, um ihn pflegen zu können, daß sie sich darauf verlassen hatte, daß auch ich verstehen würde, daß es nicht einfach für sie war. Und trotzdem endete es damit, daß Daniel unzufrieden war und ich ihr Vorwürfe machte.

Ihre Version: daß es ungeheuer fair von ihr war, daß sie mir sofort Bescheid gesagt hat, als Daniel krank wurde, und wirklich nett, daß sie mir die Möglichkeit gegeben hat, vorbeizukommen. Aber daß ich das Gefühl bekam, wie ein Babysitter behandelt zu werden, als Ersatz für sie, wenn sie zur Arbeit mußte, nicht als seine andere Freundin. Und daß es mich sehr geärgert hat, daß sie die eine Stunde nicht, wie wir abgemacht hatten, abhauen konnte.

Die Bibliothek hatte zu, sagt Dorian.

Um die Ecke ist ein Café, sage ich, unbarmherzig.

Du hättest doch später zurückkommen können und mitessen, sagt Dorian. Mir bringt es nicht viel, Daniel zu sehen, wenn du dabei bist, sage ich. Zu dritt ist das nichts. Ich traute mich ja nicht einmal, ihm seine Hand zu halten, um dich nicht zu verletzen.

Wir sehen einander an, schweigend, und wenden dann den Blick wieder ab.

Ich weiß nicht, sagt Dorian, ich tue wirklich mein Bestes, um es so fair wie möglich zu gestalten. Ja, sage ich, und ich auch. Ich versuche mich an die Abmachungen zu halten, die ihr bereits miteinander habt, ich versuche mich aus deinem Bereich fernzuhalten.

Daniel hätte für mich eintreten müssen, sagt Dorian. Er hätte es mich nicht austragen lassen dürfen.

Daniel war todkrank, sage ich. Der konnte das nicht. Der konnte nur seine Augen schließen und sich so weit wie möglich fortwünschen.

Er kann es sich nicht erlauben, in dieser Situation krank zu werden, sagt Dorian.

Gott sei Dank braucht er nicht noch einmal sterilisiert zu werden, sage ich. Wir lachen. Die Spannung läßt etwas nach. Damals, in ihrem Haus, als ich sie als «Frau Lieberman» sah, konnte ich sie nicht ausstehen. Aber jetzt, wo ich ihr gegenüber sitze, verschwindet dieses Gefühl. Sie hätte eine Freundin von mir sein können, wenn sie nicht Daniels Freundin wäre. Dann hätte ich mich nicht halb schuldig, halb triumphierend gefühlt, wie damals auf dem Frauenkongreß, zu dem wir beide gefahren waren, als sie mir gute Nacht sagte, um in ihr Hotelzimmer zu gehen, und ich wußte, daß ich den letzten Zug nach Amsterdam zurück nehmen würde, zu Daniel.

Und dann die Ferien. Dorian paßte es überhaupt nicht. Auch wenn ihre Ferien mit Daniel doppelt so lang waren wie seine mit mir. Ich hatte den romantischen Urlaub, an der Loire, mit Daniel allein. Sie hatte die Ferien mit den Kindern, schleppte sich mit Eimern voller Lebensmittel ab und machte Pläne für Ausflüge, die auch den Jungen gefallen sollten. Aber sie hatte doch die freie Wahl gehabt? Hatte ich nicht angeboten, daß ich gerne mit den Kindern in den Urlaub fahren würde? Aber hätte sie denn gewollt, daß ich ihre Rolle bei Daniels Söhnen einnehme? Natürlich nicht. Es gab keine Lösung, mit der sie glücklich gewesen wäre. Natürlich nicht.

Damals wurde ihr Urlaub auch noch abgebrochen, weil Daniels Mutter im Sterben lag. Dorian war nicht mit zurückgekommen, sondern reiste weiter zu einer Freundin. So stand ich neben Daniel bei der Beerdigung, nicht sie. Warum bist du dann nicht mit zurückgekommen, frage ich. Daniel wollte es nicht. Er meinte, es sei nicht nötig.

Als sie zurück war, meldete sie sich bei ihrer Arbeit und bei Daniel als überanstrengt ab. Sie zog sich zurück.

Daniel war besorgt. Es geht ihr nicht gut, sagte er. Und zögernd: ich muß ihr in der nächsten Zeit mehr Aufmerksamkeit schenken, das mußt du verstehen.

Gut, sage ich. Das bedeutet doch sicher auch, daß wir keine festen Verabredungen treffen und nicht wegfahren können?

Ja, sagt Daniel. Ich lasse sie die nächsten Wochenenden mal entscheiden, ob sie mich sehen will oder nicht.

Okay, sage ich. Wir werden schon sehen.

Aber natürlich ist es nicht einfach. Dorian ist nicht nur ein bißchen überreizt, sondern ziemlich durchgedreht. Gespräche mit mir nützen auch nichts mehr, sie will mich nicht sehen. Die ersten Wochen geht es noch, aber sie bleibt weiterhin krank. Die Spannung steigt. Oft kommt Daniel noch bei mir vorbei, wenn er Dorian ins Bett gebracht hat, aber der Schlafmangel von den ganzen späten Abenden beginnt sich zu rächen. Ich kann mich auf nichts mehr verlassen. Ich drohe in ein altes Verhaltensmuster zurückzufallen, warte neben dem Telefon, traue mich nicht aus dem Haus, um Daniel nicht zu verpassen, wenn er zufällig doch noch kommen sollte. Oder ich sitze sonntags da und kämpfe gegen eine beginnende Depression an, weil Daniel doch zu Dorian gegangen ist. Gerade habe ich mich mit einer Freundin verabredet, um den Abend mit ihr zu verbringen und irgendwo schön Essen zu gehen, da ruft Daniel an und sagt, daß es Dorian doch zu viel wird und ob er noch vorbeikommen kann.

Meinst du nicht, daß wir noch mal ein Wochenende wegfahren können, wenn wir es lange genug vorher ankündigen, frage ich.

Ich werde mal sehen, sagt Daniel, der zerknittert und alt aussieht. Vielleicht muß es mal sein. So geht es ja auch nicht.

Eine Zeit der Spannung. So kann es nicht bleiben. Erholt sich Dorian bald? Klappt Daniel bald zusammen? Oder ich? Und was dann? Ich weiß nicht, was ich denken soll, sage ich zu Hilde. Einmal denke ich, daß ich diese Abnutzungsschlacht verliere. Und dann frage ich mich, wie ich in Gottes Namen in so einer klassischen Situation gelandet bin, der Mann in der Mitte, zwischen zwei unglücklichen Frauen. Dann denke ich wieder, daß es noch einmal einen so riesigen Krach geben wird, daß der ganze Kram auseinanderplatzt. In anderen Augenblicken denke ich: es ist unmöglich, daß es mit uns aufhört. Daniel gibt mich nicht auf. Und ich ihn nicht. Ich bin noch nie so fest entschlossen gewesen, daß ich jemanden nicht verlieren will.

Im Stedelijk-Museum sitze ich und warte auf dich, eine Viertelstunde, eine halbe Stunde, eine dreiviertel Stunde. Ich habe mich inzwischen daran gewöhnt, daß du oft zu spät kommst. Ich arbeite, mit einem Notizblock vor mir, und schaue ab und zu hoch, auf die Tische neben dem Eingang, wo ich deine Gestalt erwarte. Dann stehst du plötzlich neben mir und setzt dich. Wir sehen uns an, wie immer, wenn wir uns ein oder zwei Tage nicht gesehen haben. Wie machen wir weiter, wo waren wir stehengeblieben?

Du erzählst mir, was du erlebt hast, und dann kommt das Gespräch natürlich wieder auf Dorian. Dorian, sagst du, beinahe beiläufig, hat mir heute morgen den Laufpaß gegeben, vielleicht interessiert es dich ja. Ich halte den Atem an und rühr die Milch in meinem Kaffee um. Sehe dich an. Hat es sehr weh getan, ist es schlimm für dich? Ich weiß es noch nicht, sagst du. Vielleicht ist es so auch das Beste. Ich weiß es nicht.

Kommt sie nicht morgen wieder zurück, frage ich.

Das weiß ich auch nicht, sagt Daniel. Sollen wir uns nicht erst einmal die Bilder angucken?

Wir gucken sie uns an. Jeder für sich allein, aber in demselben Raum. Es ist schön, angenehm, die Aufmerksamkeit auf etwas anderes richten zu können als auf die Skala der Gefühle, die über Daniels Gesicht gleitet. Bedauern? Reue? Erleichterung? Schuld?

Und was empfinde ich? Keinen Triumph? Nein, aber ich hoffe zutiefst, daß Dorian ihre Entscheidung nicht zurücknimmt und daß dies kein Versuch war, Daniel wiederzubekommen.

Und wenn ich an die Möglichkeiten denke, die sich uns nun eröffnen, ungestörte Wochenenden, keine Angst haben zu müssen, daß sich alles wieder ändert, wenn Daniel mit Dorian weggewesen ist, nicht mehr nervös zu sein, wenn ich ihn anrufe, keine Angst mehr haben, daß ich an der Distanz seiner Stimme hören kann, daß sie da ist... Sein: «Ich ruf dich morgen zurück, ja, es paßt jetzt nicht so gut», schnitt mir noch immer durch meine Seele. Angenommen, daß es wirklich so ist, eine große Seifenblase der Freude platzt irgendwo in meinem Bauch, die ich wegzudrücken versuche. Denn ich finde es unangebracht, zu jubeln. Unangebracht, weil ich nicht stolz bin auf meine Rolle bei der ganzen Geschichte. Hart ist es, wie ich Martha habe gehen lassen. Hart ist es, was nun mit Dorian geschieht. Ich weiß nur zu gut, wie man sich fühlt an ihrer Stelle, wie oft habe ich das nicht selbst erlebt?

Ich warne Daniel, daß wir jetzt aufpassen müssen. Denn wie selbstverständlich lassen wir uns jetzt gemeinsam in den Raum fallen, der sich uns aufgetan hat. Der Luxus, immer dann, wenn wir Lust dazu haben, miteinander schlafen zu können, die langen Wochenenden. Den Zug nach Antwerpen oder Paris nehmen, ohne das Wochen vorher sorgfältig geplant zu haben. Nicht mehr diese ganzen Spannungen und die vielen schwierigen Gespräche. Und nicht mehr die Krisen, die immer auf der Lauer liegen.

Wenn Dorian wieder zurückkommt, was machst du dann, frage ich Daniel. Das weiß ich nicht, das werden wir dann schon sehen, sagt er.

Aber das ist eine wenig beruhigende Auskunft, denn kann ich dann noch zurück? Dieses Jahr habe ich es ausgehalten, gerade so eben, gerade an der Grenze dessen, was ich kann, fest entschlossen, weil ich dich nicht verlieren wollte, und mit möglichst wenig Selbstmitleid, denn ich wußte ja schließlich, was ich angefangen hatte. Ich bin dir nicht zur Last gefallen mit meinen Depressionen, wenn ich es nicht mehr wußte, wie es weitergehen soll, und du hast dich auch nicht viel darum gekümmert. Denn Dorian war diejenige, für die es am schwierigsten war, das sah ich auch ein. Ich wollte deine Sachen nicht noch weiter auf die Spitze treiben, nicht noch stärker an dir zerren, nicht den Druck verstärken, der auch so schon ungeheuerlich war. Aber zurück, einen Schritt zurück, das ist noch etwas anderes als einen Schritt nach vorn. Ich weiß nicht, ob ich das wirklich kann.

Wir werden schon sehen, sagt Daniel, wir werden schon sehen. Aber im Laufe der Zeit verschwindet die Unruhe allmählich und die Angst, daß ich mich getäuscht habe. Und die Angst, daß er mir noch die Rechnung präsentieren wird, mir vorwerfen wird, daß Dorian ihm weggelaufen ist.

Nein, es ist nicht sehr freundlich, was ich getan habe. Es ist hart. Macht dir das nichts aus, hast du keine Schuldgefühle, daß du Daniel Dorian weggenommen hast? Weggenommen, weggenommen, hör mal, er ist kein Haustier, das du in einem

Körbchen mitnehmen kannst, sage ich zu einer Freundin, die verliebt ist und gerade dabei ist, sich zu überlegen, wie weit sie von sich aus gehen darf, um ihren Liebhaber seiner Ehefrau abspenstig zu machen. Aber wenn es so einfach gewesen wäre, hätte ich es zweifellos auch getan. Ich kann mir Rechtfertigungen überlegen und sagen, daß es zwischen Dorian und Daniel so wahnsinnig toll nicht gewesen sein kann und daß ich nichts anderes getan habe, als den Platz einzunehmen, der anscheinend frei war. Wenn ich es nicht gewesen wäre, dann doch bestimmt eine andere? Ich kann sagen, daß es nicht meine Aufgabe ist, für andere eine Beziehung in Ordnung zu halten, das ist etwas, was allein die beiden angeht. Ich kann sagen, daß es Dorians eigenes Risiko gewesen ist, daß Daniel ja immer Freundinnen hatte, nie versprochen hatte, es bei einer zu belassen, wie er auch mir jetzt nichts verspricht. Ich kann sagen, daß ich das früher oft getan habe, losgelassen habe, wenn es zu schwierig wurde, und dann sah, daß die Ehen, die damit gerettet wurden, nach einer kurzen Wiederbelebungsphase endgültig zu Bruch gingen. Sieh dir meine Ex-Liebhaber an, mit denen ich wegen der anderen Schluß machte. Kein einziger ist bei der Frau geblieben, mit der er damals zusammen war. Ich kenne alle Entschuldigungen und Rationalisierungen, aber letztlich ändern sie nichts, wie wahr sie an sich auch sein mögen. Das einzige, was zählt, ist, daß ich Daniel haben will. Daß ich keine Zeit mehr verlieren will. Ich lasse mir diese Liebe nicht durch die Hände laufen.

Und, sage ich zu Daniel, wenn du jemals genug von mir haben solltest, wenn ich dich zu langweilen beginne, wenn du jemand anderen willst, bitte, laß mich nicht so lange leiden. Sag es mir. In einer Stunde habe ich mein Regal bei dir leergeräumt, dir deinen Schlüssel zurückgegeben und bin verschwunden. *Break my heart, if you must, but don't waste my time.*

16

Der See von Trasimeno ist aufgewühlt, es stürmt. Sonst ist das Wasser ruhig, eine glatte, spiegelnde blaugrüne Fläche, jetzt brodelt es und schimmert olivgrün in der Sonne, blaugrün im Schatten. David ist mit Daniel nach Assisi gefahren, der letzte Ausflug. Ich lese. Ich schwimme, die weißen Handflächen sehen unter Wasser aus wie helle Froschbäuche. Elias und Fräulein B. kommen vorbei, sie sind schon am Packen, morgen setzen wir sie in den Zug.

David fährt mit Esther und ihrem Freund in die Niederlande zurück. Natürlich haben wir vergessen, seinen Paß im Büro des Campingplatzes abzuholen. Wir merken es erst, als sie schon weg sind und es nicht mehr zu ändern ist. Es ist Sonntag. Wir machen uns einen Essenskorb zurecht, mit Porcette, dem gerösteten Spanferkel mit Rosmarin, das sie hier in Scheiben für einen abschneiden, mit Oliven, Pfirsichen und Melone. Eine Flasche Chianti. Wir suchen uns ein Plätzchen in einem Pinienwald, inmitten italienischer Familien, die hier ihr Sonntags-Picknick abhalten. Kinder laufen herum und lärmen, die Großeltern sitzen auf Stühlen, die Mütter sind mit dem Auspacken des Essens und dem Tischdecken beschäftigt. Als jeder gegessen hat, die Frauen aufgeräumt und die Männer es sich auf Decken oder in Liegestühlen bequem gemacht haben, wird der Wald ruhig. Daniel und ich liegen mit unseren Büchern faul nebeneinander. Jetzt wartet David nicht mehr auf uns unter seinem Sonnenschirm, wenn wir zurückkommen. Es fehlt doch etwas. Eine Leere, wenn seine mürrische dunkelblaue Gestalt nicht mehr neben dem Zelt sitzt. Keiner, der fragt, was habt ihr gemacht? Bestimmt wart ihr wieder in einem Museum oder habt in einem Café gehockt und Wein getrunken und Zigarillos geraucht. Was findet ihr bloß daran? Niemand mehr, der uns einen Vortrag über die Gefahren des Alkohols und Nikotins hält. In unserer Zeit, als wir jung waren, mußten wir noch rauchen und trinken, um uns von unseren Eltern abzusetzen, erklären wir David. Du drehst das um, du hältst uns Vorträge darüber, wie schlecht wir sind. Aber ihr hört ja gar nicht zu, sagt David streng. Ihr lebt zu unbeherrscht.

Fandest du es nicht nervig, fragt Daniel mich, mit so einem schlechtgelaunten Bengel Urlaub zu machen? Aber ich mag ihn trotz seines Gemeckers und Genörgels über den Feminismus im allgemeinen und über meinen im besonderen. Das ist ein Spiel, er will sehen, wie weit er mich herausfordern kann. Und ich sehe auch ein, wie langweilig es für ihn in unserer Gesellschaft sein muß.

Dieselben Gewohnheiten, dieselben Vorlieben. Liegen wir wieder im Bett und nutzen den kurzen Moment, den er mal weg ist, um miteinander zu schlafen? Entdecken wir wieder im selben Moment ein Café, wo auf den Tischen kühle Gläser funkeln? O nein, nicht schon wieder, stöhnt David, ihr habt gerade erst eins gehabt, als ob wir Kinder wären, die immer wieder um ein Eis betteln. Und kaum ist das Frühstück vorüber, sitzt ihr schon wieder da und unterhaltet euch darüber, was ihr nun wieder essen sollt. Es ist wahr. In unser beider Vergangenheit gibt es bestimmt Gründe, die unsere abgöttische Liebe zum Essen erklären könnten. Und bestimmt nehmen wir, solange wir zusammen sind, nie wieder ab. Ich vermisse ihn, sagt Daniel, komisch nicht?

Vatertier, sage ich.

147

Nach Verona, wo wir uns mit Hessel verabredet haben. Wir haben vom Zelten genug und sehnen uns nach der Geschäftigkeit einer Stadt, dem Komfort sauberer Betten und nach Zeitungen.

Als wir Hessels grauen Kopf unter dem gestreiften Sonnenschirm entdecken, läuten die bronzefarbenen Glocken über der Piazza delle Erbe gerade vier Uhr. So pünktlich hast du Daniel bestimmt noch nie erlebt, sage ich zu Hessel. Hessel ist ein alter Freund von Daniel, und ein neuer von mir. Sie schließen sich in die Arme und küssen sich. Ob wir auch Kaffee haben möchten. Habt ihr euer Hotel schon gefunden? Wie lange sitzt du schon hier?

Das Hotel hat Hessel für uns reserviert. Zimmer *matrimoniale,* entschuldigt er sich für den Heterosexismus. Das heißt, wir werden anstatt der zwei einzelnen Betten, die man zusammenschieben kann, ein großes Doppelbett haben. Ich finde das schön, denn ich bin immer diejenige, die am Ende der Nacht in der Ritze liegt. Und Karten für ‹Tosca› hat er ergattert, die letzten drei Plätze für die Oper in der riesigen Arena.

Hessel weiß viel. Er, ein ehemaliger Jesuit um die fünfzig, hat als junger Mann in Pisa noch in dem Kartäuserkloster gelebt, das heute geschlossen ist. Er ist in Italien zu Hause. Kommt mit, sagt er, und zeigt uns, was er gestern alles entdeckt hat, die Piazza dei Signori mit den Palästen, die monumentalen Gräber. Morgen gehen wir zur Stadtmauer. Daniel wird endlich seine Frage los, die ihn so lange beschäftigt hat. Die Elefanten, wie die über die Alpen gekommen sind? Na, ganz einfach, sagt Hessel, sie wurden gezogen und geschoben, aber es sind auch viele dabei umgekommen. Daniel erzählt von seiner Leidenschaft für die Berge, und Hessel, der Daniel schon viel länger kennt als ich, weiß auch, warum Daniel die Berge so liebt: dort saß in Kriegszeiten immer die Opposition. Der Notausgang, sozusagen. Seht mal, sagt Hessel, als wir eine Kirche besichtigen, dies war die Mönchskapelle. Und er erzählt, wie er in Pisa nachts aufgestanden ist, um stehend die Choräle zu singen. Wir hatten aber, erzählt er, im Rükken eine kleine Lehne, so daß man wenigstens ein bißchen sitzen konnte, aber so, daß es vor Gott noch so aussah, als ob wir stünden. *Misericordia,* nannten sie die Lehnen, das Erbarmen.

Im Hotel kriechen wir fasziniert zwischen die glatten weißen Laken. Keine Ameisen, keine Mücken, keine Fliegen, ein großes, weiches Bett. Kühler Marmor unter den nackten Füßen, so viel warmes Wasser, wie wir wollen. Im Spiegel sehe ich, wie verwildert ich aussehe, braungebrannt, mit strubbeligen Haaren, die in alle Richtungen stehen. Daniel kehrt abends seine Hosentaschen nach außen, um zu sehen, wieviel Bargeld wir noch besitzen. Ich zähle die Schecks nach. Viel ist nicht mehr übriggeblieben.

In dieser Stadt rinnt uns das Geld wie Sand durch die Finger. Trotzdem gehen wir irgendwo schick Essen, zusammen mit Hessel, der uns den Opernbesuch spendiert hatte.

Steigen die abgetretenen Stufen hinauf, die uns an von Mauern umgebenen Gärten und Ruinen vorbei zu dem Restaurant führen, das auf dem Berg liegt. Wir können das schnellfließende Wasser der Adige zwar noch sehen, aber nicht mehr hören. Die Dächer von Verona breiten sich nach allen Seiten hin aus. Es ist heiß. Der Wein ist ausgetrunken, lange bevor das Essen kommt. Wir reden über ‹Tosca›, es war ein Riesenspektakel: die Diva, die ihre herzzerreißende Arie noch einmal sang, und das Publikum, das ganz der alten Tradition entsprechend wie verrückt *bis, bis* rief.

Habt ihr den Dirigenten gesehen, fragt Daniel, der einen Platz ganz vorn hatte. Ich saß hinter einer Reihe von Deutschen. Dieser Dirigent, ein junger Mann aus Israel, rannte zu seinem Platz, er hatte noch eine große Entfernung zu überwinden. Als er sich dann umdrehte und den Stock hob, ganz blaß vor lauter Aufregung, sah man, daß er eine Kipal trug. Durch die Reihe vor mir ging ein richtig schockiertes Raunen, es war keine Ablehnung, sie waren einfach nur geschockt.

Und ich berichte von einem Erlebnis, das mich vor nicht all zu langer Zeit ebenso schockiert hatte, als nämlich eine Frau in bezug auf Israel zu mir meinte: Die Juden haben nichts aus dem Krieg gelernt.

Und da sagtest du sicher: es sind ja auch nicht mehr viele übrig, sagt Daniel. Ich sagte: vielleicht war der Krieg nicht dazu da, den Juden etwas beizubringen.

Hessel erzählt, daß es noch gar nicht so lange her ist, daß in katholischen Gebeten den Juden noch offiziell die Schuld an der Kreuzigung Jesu gegeben wurde. Ich erzähle von den Hexenverfolgungen, wie schlau die eigenen, unterdrückten Impulse damals auf Außenseiter projiziert wurden. Die Frau, die Begehren weckte und deshalb gleich eine Hexe war. Keiner von uns dreien hätte unter der Inquisition eine Chance gehabt, sagt Daniel. Ein Jude, ein Homosexueller, eine zu selbständige Frau. Ketzer. Außenseiter. Meiner Meinung nach warst du als Jesuit schon ungläubig, sagt Daniel zu Hessel. Der lacht.

Das Essen kommt. Meine Pasta mit Tomaten und Basilikum ist herrlich, und auch Daniel ist voll des Lobes über seine mit Garnelen. Und Hessel sitzt verzückt über seinen Nudeln mit Sahne und Pilzen. Wir tauschen die Teller, um ja nichts zu verpassen. Weißt du, wie sie das bei den Jesuiten nennen, sagt Hessel, wenn sich jemand so maßlos fürs Essen interessiert? *Effusus super cibos,* über deinen Teller zerflossen, zu vertieft ins Essen. Dann mußte man wieder so tun, als ob es einen nicht interessierte. Wir bestellen noch eine Flasche Wein.

Die Zeit ist um, das Geld ausgegeben. Wir müssen zurück, die Arbeit wartet, die Rechnungen, der Stress des Alltags. Daniel wird beim Gedanken daran wieder ganz trübsinnig. Wir können unterwegs noch in Cremona haltmachen, wo die Stradivaris herkommen und wo sie auch noch eine echte Guarneri und zwei Amatis aufbewahren.

Wir winken Hessel hinterher, bis er nicht mehr zu sehen ist. Als ich die Rechnung mit einem Scheck bezahlen will, wird sie auf Signora Lieberman ausgestellt. Früher hätte ich protestiert, jetzt finde ich das nicht mehr schlimm.

17

Gleich hinter der niederländischen Grenze beginnt am Auto irgend etwas zu klappern. Daniel läßt den Wagen auf einem Parkplatz ausrollen. Als er wieder Gas gibt, wird das Klappern lauter, es klingt gefährlich. Ein Mann, der neben uns geparkt hat, kommt sich die Sache anschauen. Er ist Automechaniker, stellt sich heraus. Aber nachdem er hier und da herumgestochert und geschraubt hat, schüttelt er den Kopf. Es ist die Nockenwelle. Das ist Werkstattarbeit, sagt er, ruft mal den Abschleppdienst an. Als wir uns mit einer Handvoll gewechselter Viertel-Gulden-Stücke auf den Weg zu einer Telefonzelle machen, sehen wir gerade einen der bekannten gelben Wagen wegfahren. Daniel spurtet los, und kurze Zeit später schüttelt auch der Mann vom Automobilclub den Kopf. Ich rufe den Abschleppdienst, sagt er, wenn Sie Glück haben, ist der Wagen in einer knappen Stunde hier. In der Zwischenzeit können Sie ja Kaffee trinken gehen.

Es ist spät nach Mitternacht, als wir in das Führerhaus des Abschleppwagens steigen, der uns, samt Auto und allem, nach Hause bringen soll. Ich lasse Daniel erst einsteigen, nachdem ich mir den Mann angesehen habe, ein freundlicher Bär von einem Mann, der sich beim Fahren gern unterhält. Ich bin müde und mag nicht mehr reden, aber höre zu, an Daniel gelehnt, der nach Baumwolle riecht und nach seinem eigenen, undefinierbaren, mir vertrauten Geruch. Es hat geregnet, die Straße ist schwarz und ölig. Blaue Schilder scheinen vorbeizufliegen, Amsterdam, Amsterdam. Ich döse und höre den Geschichten des Fahrers zu. Was er auf seinen Noteinsätzen schon alles erlebt hat. Einmal hat er ein künstliches Gebiß holen müssen, ein anderes Mal eine Holzhand. Und einmal hat er gleich einen ganzen Wohnwagen abschleppen müssen, samt einer verzweifelten Mutter und heulenden Kindern. Papa war mit dem Auto auf und davon und hatte die ganze Bagage einfach im Stich gelassen. Als wir uns Amsterdam nähern, zieht das erste Morgenlicht herauf, die Wiesen sind neblig und feucht. Die Straßenbeleuchtung schaltet sich aus. Ist es nicht langweilig, nachts fahren zu müssen, fragt Daniel. Das gehört dazu, sagt der Mann mit Befriedigung in der Stimme, zu dieser Jahreszeit sieht mich meine Alte nicht oft.

Wurden Sie noch nie von uns nach Hause gebracht, fragt er.

Ich nicht, sagt Daniel.

Ich schon, sage ich. Das habe ich dir doch erzählt, oder, wie das in Portugal war, im letzten Sommer mit Martha?

Der Chef vom Campingplatz hat seine Haltung vollkommen verändert, seitdem ihn die örtlichen Behörden angerufen und ihm gesagt haben, daß er dafür sorgen solle, daß wir einen Krankenwagen bekommen, der uns rechtzeitig nach Lissabon bringt, wo der Auslandsdienst des Automobilclubs für alles weitere sorgen werde und für uns Plätze im ersten Flugzeug nach Amsterdam reserviert habe. Er ist erleichtert, uns los zu werden, und sucht uns höchstpersönlich im Zelt auf. Ich halte die Plane für ihn auf, so daß er Martha sehen kann, die ihm schwach zulächelt. Abends, als es nichts mehr zu tun gibt, flüchte ich auf ein Stündchen in das Restaurant auf den Felsen, um das Meer zu hören, die Sonne untergehen zu sehen und noch einmal Muscheln zu essen und den einheimischen Wein zu trinken. Wo ist Ihre Freundin, fragt der Mann, der mir das Essen bringt. Krank, sage ich, deshalb sind wir auch nicht mehr hier gewesen. Aber morgen fahren wir nach Hause.

Es ist jetzt beinahe eine normale Geschichte geworden, fast schon Vergangenheit. Als ich über die Felsen schaue und die letzten Leute, die dort spazierengehen, kaum noch erkennen kann, denke ich, daß wir es hier ja auch schön gehabt haben. Vielleicht sollten wir noch einmal hierherfahren. Ich kaufe eine Flasche Wein, die ich Joaquim schenken will, und verstaue die schönsten Muscheln in meiner Tasche, für Martha, die nichts essen will.

Diese Nacht schlafen wir beide zum erstenmal wieder richtig, nur leider sehr kurz. Wenn alles gutgeht, kommt der Krankenwagen um halb sieben. Es gibt hier nur einen, es ist eine arme Gegend. Ich mache Tee und sortiere die Sachen aus, die im Auto bleiben sollen, und die, die wir mit ins Flugzeug nehmen wollen. Martha ist ohne Hilfe aus dem Zelt gekrochen und liegt jetzt auf einer Matratze, während ich die Heringe aus dem Boden ziehe und die Leinen aufwickle. Ein paar Frühaufsteher kommen neugierig gucken, einige von ihnen haben Martha selbst noch nie zu Gesicht bekommen, hatten nur davon gehört, daß in dem Zelt, aus dem ab und zu ein Stöhnen zu hören war, eine kranke Frau liege und jeden Morgen ein alter indianischer Mann knackend in die Knie ging, um in das Zelt zu krabbeln.

Als der Krankenwagen auf das Gelände gefahren kommt, voran ein wild gestikulierender und gewichtig tuender Campingplatzchef, versammeln sich immer mehr Neugierige. O Gott, sagt Martha, die eine Woche lang nichts anderes gesehen hat als das Zelt und nun von neugierigen Gesichtern umringt wird. O Gott, und sie schließt die Augen.

Die Fahrt nach Lissabon kommt uns viel kürzer vor als die damals nach Marinha Grande. Mit eingeschalteter Sirene fährt der Wagen auf den Flugplatz, wo das Flugzeug bereitsteht.

Schnell werde ich von jemandem, der auf uns gewartet hat, durch den Zoll und die Paßkontrolle geschleust. Die Tickets liegen schon fertig für uns da. Die Sitze, auf die Marthas Bahre gelegt werden muß, sind bereits heruntergeklappt und gegen neugierige Blicke durch einen Vorhang geschützt. Die anderen Passagiere warten, während sie Martha auf der Bahre die Treppe hochtragen und dann wieder absetzen, weil sie nicht um die Kurve kommen. Noch eine Treppe. Was hat sie, was hat sie, höre ich die Leute fragen, und der rücksichtsloseste von ihnen kommt zu mir und fragt mich. Ihr Rücken, sage ich. Martha schaut zur anderen Seite. Es wird wieder niederländisch gesprochen, eine Sprache, die wir verstehen können. Als wir in Schiphol landen, sehe ich den nächsten Krankenwagen bereits warten. Diesmal ist es ein moderner, mit allem Komfort, mit einer Liege, von der Martha nicht herunterfallen kann und die für ihre niederländischen Beine auch nicht zu kurz ist, und mit einer phantastischen Federung.

Den freundlichen Sanitätern können wir endlich unsere Geschichte erzählen, auch Martha redet, ihre Schmerzen scheinen nachgelassen zu haben.

Als sie Martha die enge Treppe hochgetragen haben, macht Paul die Tür zu ihrer Wohnung auf. Er hat die Couch im Zimmer an das Fenster geschoben, die Gardinen wegen der starken Mittagssonne halb zugezogen. Blumen stehen da. Der Tee ist fertig. Paul sieht mich ewtas schüchtern an. Wir haben einander nicht mehr gesehen, seit er wieder angefangen hat, mit Martha zu schlafen. Marthas Mutter ruft an und ihre jüngere Schwester. Während Martha beide davon zu überzeugen versucht, daß sie nicht zu kommen bräuchten, daß sie schon nicht sterben würde und mit ihr nun wirklich nichts Schlimmes mehr sei, erfahre ich, was Paul in der Zwischenzeit von dieser Ecke Europas aus alles geregelt hat und wie besorgt er war. Ich wollte euch schon mit dem Auto abholen, als ich es vom Automobilclub erfuhr, aber der Arzt riet mir davon ab, erzählt er. Er hat sogar schon einen Termin mit dem Arzt vereinbart, der heute abend noch kommen wird. Gehst du zu dir nach Hause oder bleibst du hier, fragt mich Martha. Wenn Paul bei dir bleibt, sage ich, dann würde ich gern zu mir gehen. Martha sieht Paul an. Paul nickt. Kannst du sie eben nach Hause bringen, fragt sie ihn.

Ich wollte es ihr gerade anbieten, sagt Paul.

Im Auto unterhalten wir uns noch etwas, über die Segnungen des Wohlfahrtsstaates im allgemeinen und den Automobilclub im besonderen. Wie romantisch es ist, Urlaub in einem armen Land zu machen, und wie schön, ganz einfach zu leben, solange, bis irgend etwas schiefgeht und alle Sicherheiten, an die man sich gewöhnt hat, wegzufallen scheinen: ein Telefon, das funktioniert, Postämter, die geöffnet sind, Taxis, die kommen, wenn man sie ruft, und genügend Ärzte.

Es ist spät am Nachmittag, als Paul mich bei meinem Haus absetzt, das zu meiner Beruhigung noch genauso aussieht wie ich es verlassen habe. Ich bleibe bis morgen früh bei Martha, sagt Paul, dann muß ich wieder zu meiner Arbeit, ruf morgen doch mal an.

Okay, sage ich, und Paul, danke schön. Wir küssen einander, links und rechts auf die Wange, etwas ungelenk.

In meinem Haus verbreitet sich wieder der vertraute Nestgeruch um mich herum.

Ich bin über meinen toten Punkt hinweg, mein Körper ist zwar müde, und ich bewege mich wie eine Schlafwandlerin, ich bin ungeschickt und laufe gegen Stühle, aber mein Kopf ist hellwach, merkwürdig klar. Es scheint, als wären die Gerüche stärker als sonst, die Farben kräftiger. Draußen piepst ein Stadtvogel durchdringend und unmelodisch. Jemand hat Blumen hingestellt, es liegt ein Brief von meinem Sohn da; alles sei in Ordnung. Die Katzen schleichen betont gleichgültig an mich heran, recken sich dabei, gähnen, und wollen von mir – wie sich das gehört – gestreichelt werden. Es liegt ein Stapel Zeitungen auf meinem Schreibtisch und ein Stapel Post. Aber diesmal mache ich sie nicht sofort auf, wie ich das sonst immer tue. Ich gehe zum Telefon und kann – wie sich herausstellt – Daniels Nummer noch auswendig.

Auf der Utrechter Brücke rüttelt Daniel mich wach. Wir sind gleich da, sagt er.

Ich habe geträumt, sage ich verschlafen, es ist etwas Schreckliches mit Martha passiert, Dorian kam in dem Traum auch vor, und Paul. Und du. Du sagtest immer wieder, wir werden schon sehen, wir werden sehen.

Die Sonne ist aufgegangen und scheint gelb über die ersten Amsterdamer Häuser. Der Fahrer fragt, wo er uns absetzen soll.

Wir müssen uns entscheiden, sagt Daniel, gehen wir zu mir, gehen wir zu dir oder gehen wir jeder für uns allein nach Hause?

Es ist alles möglich, sage ich, alles ist gut.

Anja Meulenbelt

Bewunderung
Roman
Deutsch von Helga van Beuningen
192 Seiten. Kartoniert
Die Bestandsaufnahme des Feminismus
der 80er Jahre und ihres eigenen Lebens:
Anja Meulenbelts Roman regt an, über die
Möglichkeiten und Chancen für Frauen
nachzudenken, denn «das eigentliche Ver-
ändern beginnt erst jetzt.»

Ich wollte nur dein Bestes
Roman
Aus dem Niederländischen
von Silke Lange
144 Seiten. Kartoniert
«Sie wollte Schriftstellerin werden, nicht
schreibende Feministin sein, hat sie ein-
mal geäußert. Mit diesem Buch hat sie ihr
Ziel erreicht.»
Maria Frisée, FAZ

Die Gewöhnung ans
alltägliche Glück
Roman
Aus dem Niederländischen
von Silke Lange
160 Seiten. Kartoniert

Scheidelinien
Über Sexismus, Rassismus und Klassismus
Aus dem Niederländischen
von Silke Lange
336 Seiten. Kartoniert

Zwischen zwei Stühlen
Standortbestimmung einer
kritischen Feministin
Deutsch von Helga van Beuningen
rororo sachbuch 8480

C 2342 /1